KB103604

30일 철학공부
장자(莊子)

30일 철학공부

장자(莊子)

권영민 지음

30일 철학공부: 장자(莊子)

발　행 | 2024년 5월 7일
저　자 | 권영민
펴낸이 | 한건희
디자인 | 권영민인문학연구소
펴낸곳 | 주식회사 부크크
출판사등록 | 2014.07.15.(제2014-16호)
주　소 | 서울특별시 금천구 가산디지털1로 119 SK트윈타워 A동 305호
전　화 | 1670-8316
이메일 | info@bookk.co.kr

ISBN | 979-11-410-8373-1

www.bookk.co.kr

서문

어떻게 하면 삶을 더 깊게 이해할 수 있을까요? 어떻게 하면 수많은 결정 앞에서 자신만의 길을 찾아서 걸어갈 수 있을까요? 이 책은 우리가 현대 세계에서 자주 마주하는 삶의 고민과 질문들을 철학적인 시선으로 바라보고자 합니다. "나다움으로 세상을 살아가라." 이것이 장자의 핵심 사상입니다. 중년 철학 시리즈의 네 번째 책인 《30일 철학공부: 장자(莊子)》는, 장자의 지혜를 통해 자신을 알고, 자신을 실현하며, 어려움을 극복하는 방법을 배웁니다.

장자는 중국 고대의 철학자로서, 《장자》는 독특한 철학적 관점과 깊은 통찰력으로 인류에게 가르침을 전하고 있습니다. 그의 메시지는 복잡한 세상 속에서도 자신을 잃지 않고, 자기의 원리와 가치를 지키며 살아가는 것입니다.

장자의 가르침을 통해 자신을 탐구하고, 잠재력을 발휘하며, 어려움을 극복하는 방법을 배울 것입니다.

이 책은 30일 동안 여러분과 함께합니다. 이 기간 동안 '자기 이해', '자기 실현', '자기 극복'의 세 가지 주제를 탐구하게 됩니다. 각 주제는 다음과 같이 구성되어 있습니다:

첫 번째는 자기 이해입니다. 여기서는 자신의 내면을 탐구하고, 자신을 이해하는 과정에 대해 다룰 것입니다. 장자는 우리에게 자기를 알고 이해하는 것이 삶을 나다운 방식으로 살아가는 데에 중요하다는 것을 가르칩니다.

두 번째는 자기 실현입니다. 여기서는 자기를 실현하는

방법을 배웁니다. 장자의 가르침을 통해 우리는 자신의 잠재력을 발휘하고 성장하는 방법을 배울 것입니다.

세 번째는 자기 극복입니다. 여기서는 어려움과 도전 속에서도 자신을 극복하는 방법에 대해 살펴볼 것입니다. 장자는 우리에게 어떻게 내면의 힘을 발휘하여 어려움을 극복할 수 있는지를 가르칩니다.

이 책은 우리가 장자의 지혜를 통해 더 나은 삶을 살기 위한 통찰력을 얻을 수 있도록 돕습니다. 함께 여행하는 것을 기대합니다. 함께 하시길 바랍니다.

2024년 5월 6일

권영민 드림

CONTENT

2부. 자기 실현

3부. 자기 극복

1부

장자(莊子) Insight

자 기 이 해

삶은 충분히 깊고 두터워야 한다

•
•
•

"만약 물이 충분히 깊고 두껍게 쌓이지 않는다면, 큰 배를 띄울 수 있는 힘이 없을 것이다. 한 잔의 물을 대청마루의 작은 홈에 붓는다면 풀잎 하나를 띄워서 배로 삼을 수 있겠지만, 잔 하나를 띄우려고 한다면 그대로 땅바닥에 붙어버릴 것이다. 이는 물이 얕고 배는 너무 큰 까닭이다."《장자, 소요유편》

인생은 충분히 깊고 두터워야 합니다. 이는 마치 물이 충분히 깊고 두껍게 쌓이지 않으면 큰 배를 띄울 힘이 없는 것과 같습니다. 중년에는 더욱 중요한 주제입니다. 과거의 경험과 성취, 그리고 현재의 의미 있는 순간이 충분한 깊이와 두께를 가지지 않으면, 중년은 더 큰 흐름과 목표를 이루는 데 어려움을 겪습니다.

첫째, 충분한 깊이와 두께는 내면의 풍요로움과 성장을 의미합니다. 중년에는 지난 세월 동안 쌓아온 경험과 지혜가 충분히 깊게 자리하고 있어야 합니다. 과거의 실수와 성공, 무엇보다도 그로부터 얻은 깊은 교훈들이 중년을 더 풍요롭게 만들어 줄 것입니다. 충분한 내적 자산을 갖춘 중년은 새로운 도전에 더욱 담력을 갖고 나설 수 있습니다.

둘째, 충분한 깊이와 두께는 인간관계의 깊은 연결을 의미합니다. 가족, 친구, 동료와의 깊은 관계가 중년의 삶에 큰 의미를 부여합니다. 물이 충분하지 않고 두껍게 쌓이지 않으면 큰 배를 띄울 수 없듯이, 충분한 관계의 깊이가 없다면 중년은 외로움과 고독을 느낄 수 있습니다. 삶의 진정한 풍요로움은 풍성한 인간관계에서 비롯됩니다.

셋째, 충분한 깊이와 두께는 목표와 의미 있는 가치를 지향하는 것을 의미합니다. 중년은 자신의 삶이 얼마나 의미 있는지를 깊게 고민하고, 그에 따른 목표를 설정하는 시간입니다. 무엇이 자신에게 진정한 만족감과 성취감을 가져다 주는지를 깊이 이해하고, 그것을 향해 나아가는 것이 중요합니다. 충분한 목표와 가치를 가지고 있는 중년은 삶의 방향을 뚜렷하게 설정하고 더 풍요로운 삶을 살아갈 것입니다.

마지막으로, 충분한 깊이와 두께는 삶의 여러 측면에서 탄력성을 의미합니다. 물이 깊고 두껍게 쌓여 있으면 배가 물에 띄워질 때 더욱 안정적으로 움직일 수 있습니다. 중년은 삶의 변화와 도전에 대한 대비책을 갖추어야 합니다. 충분한 내적 강인함과 유연성을 가지고 있으면 중년의 생활은 더욱 안정되고 풍요로워질 것입니다.

삶은 충분히 깊고 두터워야 합니다. 중년에는 과거의 경험과 지혜, 인간관계의 깊이, 목표와 가치의 설정, 그리고 탄력성을 의미합니다. 충분한 깊이와 두께를 갖춘 중년은 삶의 큰 배를 띄워 더 큰 흐름과 목표를 향해 안정적으로 나아갈 수 있을 것입니다.

장자(莊子) Insight

1. 내면의 깊이를 향한 탐험과 성장하라

본문에서 언급된 물이 충분히 깊고 두껍게 쌓이지 않으면 큰 배를 띄울 수 없다는 비유는 중년이 내면의 깊이를 탐험하고 성장하는 중요성을 강조한다. 중년은 삶의 경험을 통해 자신의 내면을 더 깊이 이해하고, 지속적인 성장과 발전을 통해 삶에 두텁고 깊이 묻혀 있는 가치를 찾아가야 한다.

2. 인간관계의 깊이와 소중함을 알라

한 잔의 물을 대청마루의 작은 홈에 붓는 것과 큰 배를 띄우는 것을 비교함으로써 인간관계의 깊이와 소중함을 강조한다. 중년은 가족, 친구, 동료와 연결을 더욱 중시하고 소중히 여겨야 한다. 서로에게 지지와 이해를 제공하며, 깊은 연결을 통해 풍요로운 인간관계를 유지해야 한다.

3. 목표와 가치에 따른 의미 있는 삶을 이해하라

물이 얕고 배가 크기 때문에 잔 하나를 띄우기 어렵다는 표현은 목표와 가치에 근거한 의미 있는 삶을 추구해야 한다는 의미다. 중년은 자신의 가치관과 목표를 세우고, 그것을 향해 힘차게 나아가는 것이 중요하다. 목표를 통해 삶에 깊이와 의미를 부여하며, 풍요로운 중년 시기를 보내야 한다.

티끌은 태산을 이해하지 못한다

•
•
•

"아침에 태어나서 저녁에 말라 죽는 영지(버섯)는 한 달이라는 시간을 알지 못하고, 봄에 태어나 여름에 죽거나 여름에 태어나 가을에 죽는 매미는 일년이라는 시간을 알지 못한다."《장자, 소요유편》

"티끌은 태산을 이해하지 못한다." 이 말은 작은 존재가 큰 것의 가치를 이해하지 못한다는 의미를 담고 있습니다. 마치 아침에 태어나 저녁에 말라 죽는 영지나 봄에 태어나 여름에 죽거나 여름에 태어나 가을에 죽는 매미처럼, 우리는 종종 작고 미미한 측면에만 주목하고 큰 그림을 이해하지 못하는 경향이 있습니다.

중년에게 티끌은 태산을 이해하지 못하는 순간이 자주 찾아옵니다. 시간이 흘러가면서 청춘의 활기와 에너지가 조금씩 사라지고, 몸과 마음의 변화에 직면하게 됩니다. 이 변화에 대한 불안과 두려움으로 티끌 속에 갇혀 큰 그림, 큰 가치를 인지하지 못할 때가 많습니다.

첫째, 중년은 자신의 가치와 존엄성을 인식하는 과정에서 티끌 속에서 벗어나는 순간입니다. 아침에 태어나 저녁에 말라 죽는 영지처럼 삶은 한정된 시간 동안의 순환임을 이해하고, 이것이 삶에 더해지는 가치라는 것을 깨닫는 시기입니다. 중년은 자신의 존재와 경험을 통해 얻은 지혜를 통해 티끌 속에서 벗어나 태산을 이해하는 시간이라 할 수 있습니다.

둘째, 중년은 새로운 목표와 가치를 찾아가는 과정에서 티끌 속에서 벗어나는 기회를 제공합니다. 봄에 태어나 여름에 죽거나 여름에 태어나 가을에 죽는 매미처럼, 중년은 삶의 새로운 계절이자 가능성이 가득한 시기입니다. 새로운 도전에 나서고, 자신의 열정과 관심사를 찾아가는 것은 티끌 속에서 벗어나 큰 그림을 볼 수 있는 첫걸음일 것입니다.

셋째, 중년은 현재의 순간을 소중히 여기고 감사의 태도를 키우는 시간입니다. 티끌은 태산을 이해하지 못한다는 말은 자신이 갖고 있는 것을 소중히 여기지 않을 때 적용되기도 합니다. 중년은 과거의 성취와 현재의 순간을 감사하며 티끌 속에서 벗어나 큰 그림을 이해하는 데 도움이 되는 시간입니다.

마치 티끌이 태산을 이해하지 못하는 것처럼, 중년은 종종 자신의 가치와 삶의 큰 그림을 간과하는 경향이 있습니다. 그러나 중년은 동시에 자기 인식의 성장과 더 큰 의미를 찾아가는 시기이기도 합니다. 티끌 속에서 벗어나 큰 그림을 볼 수 있는 중년의 시간을 소중히 여기며, 자기 삶에 새로운 의미를 부여하고 성장해 나가는 것이 중요합니다.

장자(莊子) Insight

1. 가치의 평가와 자아인식의 변화를 가져라.

중년은 티끌이 태산을 이해하지 못한다는 말처럼 자신의 가치와 존엄성을 새롭게 평가하는 시기다. 과거의 성취와 실패, 그리고 현재의 상황을 고려하여 자아인식이 변화해야 한다. 중년은 자신을 새롭게 발견하고 이해함으로써 티끌 속에서 벗어나 태산을 인식할 수 있는 기회를 제공한다.

2. 새로운 목표와 열정을 추구하는 시간을 가져라

티끌 속에서 벗어나기 위해서는 중년이라는 새로운 시기에 자신에게 새로운 목표와 열정을 찾아가는 것이 중요하다. 과거의 목표와 욕망이 변화하고, 봄에 태어나 여름에 죽는 매미처럼 중년은 과거와는 다른 시기이며, 그에 맞는 목표와 열정을 추구하는 것이 필요하다. 새로운 도전에 나서고 성장하는 과정에서 티끌 속에서 벗어날 수 있다.

3. 현재를 소중히 여기고 감사의 마음을 가져라

티끌은 태산을 이해하지 못한다는 말은 종종 현재의 소중한 순간을 간과하고 미처 발견하지 못하는 상황을 의미한다. 중년은 과거와 미래 사이에서 현재를 더욱 소중히 여기고, 과거의 성취와 실패에 묶이지 않고 현재를 감사하며 티끌 속에서 벗어날 수 있는 마음가짐이 중요하다.

욕심을 버리고 자기 인생에 만족하라

•
•
•

"뱁새가 둥지를 트는 곳은 숲속의 나무 중 한 나무의 가지 하나에 불과하고, 두더지는 황하의 물을 마시는 것 역시 기껏 자기 배를 채우는 것에 지나지 않는다." 《장자, 소요유편》

우리는 어린 시절부터 큰 꿈과 높은 목표를 갖고 성장해 왔습니다. 그러나 중년에 이르러서야 뱁새가 둥지를 트는 나무와 두더지가 황하의 물을 마시는 모습을 통해 우리 자신에 대한 새로운 인식을 얻게 됩니다. 이제는 욕심을 버리고, 현재의 자기 인생을 만족해야 하는 시간일지도 모릅니다. 처음에는 자신의 위치와 상황을 인식하기 어려웠습니다. 뱁새가 숲속의 나무 중 한 나무의 가지에 둥지를 트는 것처럼, 우리도 누군가에게 비교되거나 다른 이들과의 경쟁에서 자신을 찾으려 했습니다. 그러나 뱁새가 작은 둥지에서 안전하게 살아가듯이, 우리도 고요한 곳에서 자신의 존재를 확인하고 인정해야 합니다.

두더지가 황하의 물을 마시는 모습은 우리의 욕망과 필요를 조절하는 중요성을 상징합니다. 두더지는 자신의 배가 차면 만족하고, 너무 과도한 욕망을 피해가듯이 우리도 현재 상황에서 충분한 만족을 찾아가야 합니다.

욕심을 버린다는 것은 단순히 목표를 낮추는 것이 아닙니다. 오히려 더 높은 차원의 성취와 만족을 의미합니다. 현재의 자기 인생에 감사하며, 뱁새나 두더지처럼 작은 세계에서 행복과 만족을 찾는 것이 중요합니다. 뱁새와 두더지는 작은 것에서 행복을 찾으며, 그것이 결국 큰 만족으로 이어지는 것을 알고 있습니다.

자기 인생을 만족한다는 것은 곧 현재의 순간을 소중히 여기고, 주어진 상황에서 나아가려는 노력을 기울이는 것입니다. 중년에는 과거의 성과나 미래의 계획에 대한 압박에서 벗어나, 현재의 순간에 집중하고 그 안에서 풍요로움을 느끼는 것이 중요합니다. 그것이 욕심을 버리고 자기 인생을 만족하는 첫걸음입니다.

현재의 자기 인생을 만족한다는 것은 욕심을 포기하고 존중하는 것과도 밀접한 관련이 있습니다. 뱁새와 두더지처럼 우리도 작은 세계에서 행복을 찾으면서, 그것이 우리의 큰 만족과 풍요를 이끌어내기 위한 출발점이 됩니다. 중년에 도달한 우리는 더 이상 다른 이들과의 경쟁에서 자아를 찾으려는 압박에서 벗어나야 합니다. 자기 자신을 소중히 여기고, 주어진 상황에서 나아가며 내면의 평화를 찾아가는 것이 중요합니다.

자기 인생을 만족한다는 것은 동시에 욕심을 버리고, 주어진 자신의 위치와 상황을 받아들이는 것을 의미합니다. 두더지는 황하의 물을 마시며 자기 배를 채우듯이, 우리도 너무 큰 욕망과 완벽한 이상을 추구하지 않고 현재 상황에서 충분한 만족을 찾아야 합니다.

장자(莊子) Insight

1. 평온한 삶을 추구하라

중년에는 외부의 성공이나 타인의 평가에 대한 의존을 줄이고, 자기 자신에게 안정감과 평화를 찾아가는 것이 중요하다. 뱁새가 숲속의 나무에 둥지를 트듯이, 우리도 자신만의 안정된 삶을 만들어가야 한다. 마음의 평온과 안정을 추구하면서 자기 자신을 받아들이고 인정하는 자세가 중요하다.

2. 작은 행복에 집중하라

두더지가 황하의 물을 마시면서 자기 배를 채우듯이, 중년에는 작은 행복에 주목하고 그것들을 소중히 여기는 것이 필요하다. 삶의 여러 영역에서 온전한 만족을 느끼기 위해 일상의 소소한 순간들을 즐기며, 과거나 미래에 대한 부담에서 벗어나고 현재에 집중하는 습관을 기를 필요가 있다.

3. 자기 가치와 목표에 집중하라

중년에는 타인의 평가나 사회적인 압력에서 벗어나 자신의 가치관과 목표에 집중하는 것이 중요하다. 뱁새와 두더지처럼 각자의 작은 세계에서 만족을 찾듯이, 중년은 자신만의 가치를 찾아내고 그것을 기반으로 하여 의미 있는 삶을 살아가야 한다. 외부의 성공이나 인정보다는 자기 자신에게 충만함을 느낄 수 있는 방향으로 나아가야 한다.

마음에도 장님과 귀머거리가 있다

●
●
●

"장님은 옥돌의 아름다운 무늬를 볼 수 없고, 귀머거리는 종과 북 울리는 소리를 들을 수 없다. 육신의 감각 기관에만 장님과 귀머거리가 있을까? 마음의 지혜에도 장님과 귀머거리가 있다." 《장자, 소요유편》

장자가 언급한 장님과 귀머거리는 각각 옥돌의 아름다운 무늬와 종, 북의 소리를 감지할 수 없다고 합니다. 이것은 우리가 종종 우리 자신의 편견과 제한된 시각으로 세상을 바라본다는 의미입니다. 중년은 삶의 단계에서 이미 많은 경험을 쌓아왔습니다. 그러나 그 경험을 삶의 다양한 영역으로 확장하고, 새로운 지식과 경험을 통해 세계를 더 깊이 이해하는 것은 여전히 필요합니다.

세상은 다양성으로 가득 차 있습니다. 다른 문화, 생각,

가치관 등이 서로 교차하며 살아가고 있습니다. 중년의 우리는 이 다양성을 인정하고 받아들이는 마음가짐이 필요합니다. 귀를 열어 다양한 이야기를 듣고, 눈을 크게 뜨며 다른 관점에서 세상을 바라봄으로써 우리의 지식과 경험을 더욱 풍부하게 만들 수 있습니다.

귀를 열고 세상을 들여다보면, 새로운 지식의 문이 열립니다. 우리는 자신의 의견이나 세계관을 다양한 의견과 견해와 비교하면서 더욱 넓은 시야를 얻게 됩니다. 책, 영화, 예술 등으로 다양한 이야기를 청취하고 시청함으로써 우리의 귀와 눈은 세상을 더 풍부하게 만들어 줍니다.

마음의 지혜는 오롯이 우리 안에 자리하고 있습니다. 그러나 이를 깨우치고 활용하기 위해서는 귀와 눈을 열어 외부의 지식과 경험을 수용해야 합니다. 중년에 도달한 우리는 이미 일상에 익숙해져 지루한 루틴에 갇혀있을 수 있습니다. 그러나 지식과 경험은 성장과 발전의 원동력입니다. 우리는 자주 새로운 도전에 나서고, 다양한 분야에서 학습하며, 세계의 다양한 소리와 모습을 체험함으로써 마음의 지혜를 풍부하게 만들 수 있습니다.

때로는 자신의 편견이나 선입견에서 벗어나야 합니다.

다양한 문화와 사고방식을 존중하며 이해해야만 세계의 다양성을 진정으로 체험할 수 있습니다. 그리고 이러한 노력이 우리를 통해 새로운 지식과 지혜를 얻게 만들게 됩니다.

중년에게 귀와 눈을 열어 세상을 바라보라는 이야기는 끝이 없습니다. 새로운 경험과 학습은 우리를 끊임없이 발전시킵니다. 제한된 시야와 지식에만 안주하지 말고, 마음의 문을 넓혀 세상과 소통하세요. 그리고 그것이 우리를 더 넓은 세계로 인도하며 새로운 지혜를 발견하게 됩니다. 세상은 깊고 다양하며 아름다움으로 가득 차 있는데, 이를 귀와 눈을 통해 새롭게 알아가는 중년의 여정은 더욱 풍성하고 의미 있게 됩니다.

장자(莊子) Insight

1. 넓은 시야에서 새로운 가능성을 찾다

옥돌의 아름다운 무늬를 볼 수 없는 장님과, 종과 북의 울림을 들을 수 없는 귀머거리처럼, 우리의 제한된 지식과 경험은 새로운 아이디어와 기회를 막아버린다. 중년은 새로운 도전과 학습을 통해 세상의 다양성에 눈을 뜨고, 미래에 대한 기대감을 키울 수 있다.

2. 자아 발견과 성장의 문을 열다

육신의 감각에만 의존하는 것이 아닌 마음의 지혜를 찾아가면, 자아를 발견하고 성장할 수 있는 기회가 펼쳐진다. 중년에는 지나온 삶의 경험을 토대로 자신을 되돌아보고, 내면의 목소리에 귀를 기울이며 새로운 목표와 가치를 찾아나갈 수 있다. 마음의 지혜는 자아 발견의 여정을 열어주며, 더 나은 버전의 자신으로 성장하는 계기를 마련해준다.

3. 소통과 이해를 통한 풍요로운 삶의 창조

세상을 닫힌 눈으로만 보면, 다양한 의견과 다른 문화를 이해하고 수용하는 것이 어려워진다. 마음을 열고 세상을 보고 들으면, 서로 다른 측면을 이해하고 소통할 수 있는 능력을 키우게 된다. 중년에 세상을 열려 있는 눈과 귀로 바라보면, 타인과의 소통을 통해 풍요로운 삶을 창조하게 된다.

성공, 생각의 틀을 깨라

•
•
•

"송나라 사람이 돈을 벌기 위해 모자를 팔러 월나라로 갔다. 그러나 월나라 사람은 단발에 문신을 해 갓이 필요 없었다. 이는 자기 생각에 갇혀서 상대를 이해하려 하지 않았다." 《장자, 소요유편》

중년에는 자연스럽게 성공과 행복을 찾는 데 더욱 관심을 가지게 됩니다. 그런데 종종 우리는 자기 생각에 갇혀 있어서, 다른 사람들과 상호작용에서 어려움을 겪게 됩니다. 이러한 상황에서 우리는 성공의 시작은 자기 생각의 틀을 깨는 것이라는 깨달음을 얻게 됩니다.

옛날, 송나라 사람 한 명이 돈을 벌기 위해 모자를 팔려고 했습니다. 그래서 월나라로 갔는데, 월나라 사람들은 이미 단발에 문신을 해 모자가 필요하지 않았습니다. 송나라 사람은 자신의 모자를 팔기 위해 힘들게 월나라까지 왔지만, 그의 모자는 무용지물이었습니다. 이 이야기는 우리가 자기 생각에 갇혀 다른 이들의 관점을 이해하지 못할 때 어떤 결과가 나타날 수 있는지를 보여줍니다.

중년은 종종 자기 생각에 갇혀 있습니다. 자신의 경험과 관점에서 세상을 바라보며 다른 이들과의 의사소통에서 어려움을 겪을 수 있습니다. 하지만 성공과 행복을 찾기 위해서는 자기 생각의 틀을 깨야 합니다. 모자 판매를 실패한 송나라 사람처럼, 자신의 고정된 생각과 관점을 유연하게 바꾸는 것이 중요합니다.

자기 생각의 틀을 깨는 것은 쉽지 않을 수 있습니다. 그러나 이것이 성공의 시작입니다. 모자를 팔지 못한 송나라 사람은 처음부터 자신의 생각을 바꾸고 새로운 방법을 찾는 것은 어려운 일이었습니다. 하지만 인내와 학습으로 새로운 가능성을 발견하려고 노력해야 합니다. 중년에 도달한 우리도 자기 생각을 바꾸고 새로운 아이디어와 기회를 찾을 수 있습니다.

마지막으로, 중년에는 자기 생각을 틀을 깨고 성공을 찾는 과정에서 인내와 학습의 중요성을 깨닫게 됩니다. 모자를 팔지 못한 송나라 사람이 처음부터 자기 생각을 바꾸고 새로운 방법을 찾는 것은 쉽지는 않습니다. 하지만 인내와 학습을 통해 우리는 새로운 가능성을 발견하고 성공을 이룰 수 있습니다.

중년을 위한 성공의 시작은 자기 생각의 틀을 깨는 것이며, 다양한 경험과 학습을 통해 성장하는 것입니다. 송나라 사람의 이야기를 통해 우리는 자신의 한계를 극복하고 성공을 찾아 나가는 동기부여를 얻게 됩니다. 중년은 아직도 많은 가능성과 기회가 있으며, 자기 생각의 틀을 깨고 성공을 찾는 여정은 계속됩니다.

장자(莊子) Insight

1. 새로운 관점과 아이디어를 탐구하라

중년은 자신의 경험과 관점을 넘어서 새로운 관점과 아이디어를 탐구하는 것이 중요하다. 모자 판매를 실패한 송나라 사람과 같이, 자기 생각의 틀을 깨고 새로운 방법을 찾아보는 용기를 가져야 한다. 이를 통해 성공의 시작을 만들어 나갈 수 있다.

2. 다양한 경험을 쌓고 도전하라

중년에는 다양한 경험과 도전을 통해 성장하고 새로운 기회를 찾아야 한다. 모자 판매에서 실패한 송나라 사람은 처음부터 모든 것을 바꾸지 못했지만, 새로운 도전을 해야만 성공할 수 있다. 새로운 도전과 경험을 통해 성공을 찾아 나가야 한다.

3. 인내하고 학습하라

중년은 자기 생각의 틀을 깨는 것과 새로운 가능성을 찾는 과정에서 인내와 학습의 중요성을 깨닫게 된다. 처음부터 모든 것을 바꾸는 것은 어려울 수 있지만, 인내와 학습을 통해 새로운 가능성을 발견하고 성공을 이룰 수 있게 된다.

자신의 가치를 제대로 보라

•
•
•

"옛날 송나라 사람 중에 찬 물에 손을 넣어도 손이 트지 않는 비법을 개발한 사람이 있었다. (…) 약은 하나이지만, 어떤 사람은 그것으로 제후가 되고, 어떤 사람은 세탁업을 면치 못했다. 이는 그 쓰임이 달랐기 때문이다." 《장자, 소요유편》

옛날 송나라에 한 사람이 있었습니다. 그는 찬 물에 손을 넣어도 손이 트지 않게 하는 독특한 비법을 개발했습니다. 이 비법은 그의 가족에게 대대손손 전해져, 겨울철 차가운 개울물에서 세탁하는 일로 생계를 유지하는 데 큰 도움이 되었습니다. 하지만 이 비법의 진정한 가치는 한 남자의 눈에 비로소 드러났습니다. 그는 이 비법을 오나라와의 전쟁에서 승리하는 데 필수적인 요소로 보았고, 결국 그 비법으로 오나라가 월나라와의 수전에서 대승을 거두는 결정적인 역할을 하게 됩니다.

이 이야기는 중년의 우리에게 중요한 교훈을 줍니다. 바로 주어진 상황이나 환경에 맞추어 자신의 기술이나 지식, 심지어는 전통적인 비법조차도 새롭고 다양한 방식으로 활용할 수 있다는 것입니다. 자기 능력이나 자산을 한정된 용도로만 생각하는 것이 아니라, 더 넓은 시야로 바라보고 다양한 가능성을 모색해야 합니다.

손이 트지 않는 비법이 단순한 생계 수단에서 전략적 군사 기술로 활용된 것처럼, 우리의 지식이나 기술도 새로운 상황이나 환경에서 새로운 가치를 발휘할 수 있습니다. 중년의 많은 이들이 자기 경험과 지식이 시대에 뒤떨어지거나 더 이상 가치가 없다고 느끼기 쉽습니다. 하지만 이 이야기는 우리에게 그런 생각이 얼마나 잘못되었는지를 상기시켜 줍니다.

성공으로 가는 길은 때로는 기존의 것을 새로운 방식으로 활용하는 데서 시작됩니다. 자신이 가진 것을 다른 각도에서 바라보고, 새로운 상황에 맞추어 재해석하며, 그것이 더 큰 가치를 발휘할 수 있는 방법을 찾아야 합니다.

이것은 창의력과 상상력, 그리고 무엇보다도 용기를 필요로 합니다. 우리가 익숙해진 경로를 벗어나 새로운 가능성을 탐색하는 것은 두려움을 동반하기 마련입니다. 그러나 이 이야기에서 볼 수 있듯, 그런 용기가 바로 변화를 만들고 새로운 성공으로 이끄는 원동력이 됩니다.

중년은 변화에 대한 두려움을 넘어서고, 자신의 삶과 경력에 새로운 장을 열 준비가 되어 있는 시간입니다. 우리가 가진 지식과 경험은 시간이 지남에 따라 가치가 떨어지는 것이 아니라, 오히려 다양한 상황에서 새로운 방식으로 활용되는 가능성을 내포하고 있습니다.

결국, 성공으로 가는 길은 우리가 가진 것을 어떻게 활용하느냐에 달려 있습니다. 자신의 능력과 지식을 다양한 각도에서 바라보고, 새로운 상황에 맞게 적용하는 유연성을 갖추는 것이 중요합니다. 이러한 태도는 중년의 우리에게 새로운 기회를 열고, 우리의 삶을 더욱 풍요롭게 만들어줍니다.

장자(莊子) Insight

1. 변화에 적응하고 기회를 포착하라

장자의 이 이야기는 기존의 것을 새로운 상황에 맞게 재해석하고 적용함으로써 성공할 수 있다는 점을 강조한다. 중년에는 삶과 경력에서 많은 변화를 경험할 수 있으며, 이러한 변화에 유연하게 적응하고 기존의 지식이나 기술을 새롭게 활용함으로써 새로운 기회를 창출할 수 있다.

2. 개인적 성장과 자아실현을 하라

비법의 새로운 쓰임을 통해 성공한 이야기는 중년에도 여전히 개인적 성장의 가능성이 있음을 보여준다. 자신의 능력이나 지식을 다른 방식으로 활용함으로써, 중년의 사람들은 새로운 도전에 맞서고, 새로운 역량을 개발하며, 자신의 잠재력을 최대한 발휘할 수 있다.

3. 사회적 기여와 유산을 창출하라

이 이야기에서 비법의 전달은 한 세대에서 다음 세대로 지식과 기술이 전수될 수 있음을 상징한다. 중년에는 자신이 축적한 경험과 지혜를 다른 사람들과 공유하고, 긍정적인 영향을 미치며, 의미 있는 유산을 남기는 기회가 된다. 이는 개인의 삶에 더 큰 의미를 부여하고, 후대에 긍정적인 영향을 미치는 방법이다.

작은 마음에 휘둘리지 말라

•
•
•

"큰 지혜는 한가하고 너그럽고 여유 있지만, 작은 지혜는 사소한 일이나 따진다. 큰 말은 담담해 시비에 구애받지 않지만, 작은 말은 수다스럽기만 하다. 세속적인 사람은 잠을 잘 때도 꿈을 꾸는 까닭에 마음이 쉴 틈이 없다. 깨어나서도 몸이 욕망의 문을 열고 외물(外物)과 접촉해 여러 감정을 일으키는 까닭에 날마다 마음 속에서 싸운다."
《장자, 제물론편》

중년에는 '작은 마음', 즉 사소한 일에 집착하고 감정에 휘둘리는 태도에 사로잡힐 수 있습니다. 《장자, 제물론편》에서 말하는 '큰 지혜'와 '작은 지혜', '큰 말'과 '작은 말'의 구분은 우리에게 깊은 교훈을 줍니다.

작은 마음에 휘둘리지 않는다는 것은 일상에서 마주치는

사소한 불편함이나 갈등에 깊이 연루되지 않음을 의미합니다. 세속적인 욕망이나 외부의 유혹에 휘말리지 않고, 자신의 평화와 균형을 유지하는 것입니다. 중년에는 직장, 가정, 사회적 관계 등에서 다양한 압박과 스트레스에 직면할 수 있습니다. 이러한 상황에서 '작은 지혜'에 사로잡혀 감정의 노예가 되기보다는 '큰 지혜'를 발휘하여 담담하고 여유 있는 태도를 유지하는 것이 중요합니다.

'큰 지혜'를 발휘하는 것은 삶의 복잡함에서도 본질적인 것에 집중할 수 있는 능력을 의미합니다. 이는 세상을 보는 넓은 시야와 깊은 이해를 바탕으로, 일시적인 감정의 동요나 외부의 소란에 흔들리지 않는 태도를 말합니다. 중년은 오랜 경험을 통해 얻은 지혜를 바탕으로, 삶의 진정한 의미와 가치에 집중할 수 있어야 합니다. 이는 가족, 친구, 동료와의 관계에서 더 너그럽고 이해심 있는 태도를 취하며, 복잡한 문제에도 침착하고 지혜로운 해결책을 찾는 데 도움이 됩니다.

'작은 말'에 휘둘리지 않는 것도 중요한 교훈입니다. 사소한 논쟁이나 헛된 수다에 시간과 에너지를 낭비하기보다는, '큰 말'을 통해 의미 있는 대화와 소통을 추구해야 합니다. 이는 대화에서 진정성과 깊이를 중시하며, 상대방의 의견을 경청하고 존중하는 태도를 말합니다. 중년은 자신의 말과 행동이 타인에게 미치는 영향을 잘 이해하고, 긍정적이고 건설적인 커뮤니케이션을 지향해야 합니다.

중년은 '큰 지혜'와 '큰 말'을 실천하는 것은 자기 성찰과 내면의 성장을 요구합니다. 이는 자신의 감정과 생각을 잘 관리하고, 자기 내면을 깊이 이해하는 과정에서 비롯됩니다. 스스로에게 솔직하게 질문하고, 자신의 감정과 생각이 어떻게 형성되는지, 어떻게 반응하는지를 면밀히 관찰하는 것이 중요합니다. 이 과정에서 우리는 자신의 한계와 강점을 더 잘 인식하게 됩니다.

결론적으로, 중년의 삶에서 작은 마음에 휘둘리지 않고 큰 지혜와 여유를 발휘하는 것은 자신과 타인에 대한 깊은 이해와 사랑에서 비롯됩니다. 이는 일상의 도전과 갈등 속에서도 내면의 평화와 조화를 유지하며, 더 충만하고 의미 있는 삶을 살아가는 데 필수적입니다. 중년은 이러한 여정을 실천하고, 자신만의 지혜와 여유를 발견하는 데 이상적인 시기입니다.

장자(莊子) Insight

1. 내면의 평화와 안정을 유지하라

작은 마음에 사로잡히면 사소한 일에도 쉽게 동요하고, 불필요한 갈등과 스트레스에 시달릴 수 있다. 중년에는 삶의 경험이 풍부하고, 자신과 타인을 이해하는 능력이 더 발달해 있기에, 큰 지혜를 바탕으로 내면의 평화와 안정을 유지하는 것이 중요하다. 이는 정신적, 감정적, 삶의 질을 향상시킨다.

2. 심오한 인간 관계를 구축하라

큰 말과 큰 지혜를 통해 의미 있는 대화와 깊은 인간 관계를 구축할 수 있다. 작은 말에 휘둘리는 것은 표면적이고 수다스러운 대화에 머무르게 하며, 진정한 소통과 이해를 방해한다. 중년에는 인간 관계에서 진정성과 깊이를 추구함으로써 더욱 충만하고 의미 있는 관계를 발전시킬 수 있다.

3. 삶의 깊이와 의미를 발견하라

작은 마음에 휘둘리지 않고 큰 지혜를 추구하는 삶은 깊이와 의미를 발견하는 데 도움이 된다. 중년은 삶을 되돌아보고, 자신의 가치와 목표를 재평가하는 시기이며, 이 과정에서 작은 것들에 얽매이지 않고 본질적인 것에 집중할 수 있어야 한다. 이는 자기 실현과 성취감을 높이며, 삶의 후반기를 보다 충실하게 만든다.

도둑에게도 도(道)가 있다

•
•
•

“도척의 부하가 도척에게 도둑질에도 길(道)이 있느냐고 묻자 도척이 말했다. "어디엔들 길이 없겠느냐? 방 안에 무엇이 있는지 알아맞히는 것이 훌륭함이다. 먼저 들어가는 것이 용기다. 나중에 나오는 것이 의리다. 될지 안 될지 아는 것이 지혜다. 고루 나누는 것이 사랑이다. 이 다섯 가지를 갖추지 않고서 큰 도둑이 된 자는 아무도 없다.”《장자, 거협편》

중년은 다양한 역할과 책임 사이에서 균형을 찾으려는 노력의 연속입니다.《장자, 거협편》에서 도척이 도둑질에도 ‘도(道)’가 있다고 말하는데, 모든 행위에는 그 나름의 원칙과 규율이 존재한다는 것을 의미합니다.

중년은 자신만의 삶의 ‘도’를 구축해왔음을 발견합니다.

이는 직장에서의 전문성, 가정에서의 역할, 사회적 관계에서의 상호작용 등 다양한 형태로 나타납니다. 도척이 말한 도둑의 '도'처럼, 우리의 삶에도 훌륭함, 용기, 의리, 지혜, 사랑이라는 원칙이 적용됩니다. 이러한 원칙들은 중년의 삶을 이끌어가는 데 있어 중요한 지표가 됩니다.

중년에게 원칙을 지키는 것은 더욱 중요해집니다. 우리의 결정과 행동은 가족, 친구, 동료들에게 영향을 미치며, 이는 우리가 어떤 사람인지를 보여주는 지표가 됩니다. 도척이 언급한 훌륭함, 용기, 의리, 지혜, 사랑과 같은 원칙들은 중년을 풍요롭게 하며, 우리의 선택과 행동에 깊이와 의미를 부여합니다.

중년에서 '도'를 실천하는 것은 삶의 균형을 찾는 데 도움을 줍니다. 직장에서의 성공, 가정에서의 행복, 개인적인 성장 등 우리가 추구하는 다양한 목표에 '도'를 적용함으로써, 우리는 보다 조화롭고 의미 있는 삶을 살아갈 수 있습니다. '도'는 우리의 결정과 행동을 안내하는 나침반이 되어, 중년의 삶을 보다 목적 있고 충실하게 만듭니다.

"도둑에게 도가 있다"는 중년에게 깊은 울림을 줍니다. 모든 삶의 영역에서 원칙을 지키며 살아가는 것의 중요성을 일깨워줍니다. 중년의 삶에서 '도'를 실천하는 것은 단순히 외부적인 성공을 넘어서 내면의 평화와 만족을 추구하는 과정입니다. 우리의 삶에 적용된 훌륭함, 용기, 의리, 지혜, 사랑과 같은 원칙은 우리를 더 나은 인간으로 성장시키며, 우리의 삶을 더욱 가치 있고 의미 있게 만듭니다. 중년의 삶은 변화와 도전이 많은 시기이지만, 자신만의 '도를 가지고 이를 헤쳐 나갈 때, 우리는 이러한 변화를 기회로 전환해야 합니다.

장자(莊子) Insight

1. 모든 행위에는 원칙이 필요하다

인생의 다양한 영역에서 쌓아온 경험으로 중년은 모든 행위와 결정에는 일정한 원칙과 가치가 필요하다는 것을 깨닫는다. 도척의 말처럼, 심지어 도둑질과 같은 부정적인 행위에조차 나름의 원칙이 존재하며, 긍정적이고 윤리적인 삶을 살기 위해서는 더욱 명확하고 고상한 원칙을 설정하고 따라야 한다.

2. 용기, 의리, 지혜, 사랑은 중요하다

이 네 가지 덕목은 더욱 중요해집니다. 용기는 새로운 도전과 변화를 받아들이는 데 필요하며, 의리는 인간 관계와 사회적 책임을 다하는 데 중요하다. 지혜는 인생의 경험으로부터 배운 교훈을 적용하는 데 필요하며, 사랑은 가족, 친구, 그리고 사회와의 관계를 유지하고 강화하는 데 중요하다.

3. 행동의 결과를 고려하라

"될지 안 될지 아는 것이 지혜다"라는 도척의 말은 중년에게 자신의 행동과 결정이 가져올 장기적인 결과를 신중하게 고려할 것을 알려준다. 중년은 인생에서 쌓아온 경험을 바탕으로 더욱 신중하고 지혜로운 결정을 내릴 수 있는 위치에 있으며, 이러한 결정은 자신뿐만 아니라 주변 사람들의 삶에도 깊은 영향을 미친다.

오리 다리가 짧다고 늘리지 말라

•
•
•

"올바른 것은 타고난 그대로의 모습을 잃지 않는다. 그래서 발에 붙은 군살을 군더더기라고 생각하지 않고, 손가락이 더 있어도 덧붙였다고 생각하지 않는다. 길다고 남는 것이라 생각하지도 않고, 짧다고 모자란다고 생각하지 않는다. 오리 다리가 짧지만 이어주면 오리가 슬퍼하고, 학의 다리가 길다고 자르면 학이 슬퍼한다. 본성이 길다고 자를 필요가 없고, 짧게 태어났다고 이어줄 것도 없다."
《장자, 변무편》

중년은 변화와 성찰의 시기로, 자신의 삶과 정체성을 다시 한번 깊이 고민하게 됩니다. 이 시기에 우리는 종종 사회적 압력이나 개인적 불안감으로 인해 자신의 본성을 잃어버리기 쉽습니다.

우리는 태어날 때부터 각자 독특한 성향과 능력을 지니고 있습니다. 중년이 되면서 많은 사람들이 자신의 본성을 재평가하기 시작합니다. 이는 자신의 진정한 가치와 열정을 발견하는 데 중요한 과정입니다. 중년에서 자신의 본성을 인정하는 것은 자기 자신과의 화해를 의미하며, 이는 자기 수용과 자기 사랑의 첫걸음입니다.

사회는 우리에게 많은 기준과 기대를 강요합니다. 하지만 이러한 외부 기준은 우리의 진정한 자아를 가릴 수 있습니다. 중년은 자신의 본성에 충실하게 살아가기에는 용기가 필요합니다. 사회적 기준에 맞추기 위해 자신을 변형시키는 것이 아니라, 본연의 모습을 받아들이고 존중하는 것이 중요합니다.

본성을 받아들인다고 해서 변화를 거부하는 것은 아닙니다. 오히려 자신의 본성을 이해하고 받아들임으로써 우리는 더욱 의미 있는 변화를 추구할 수 있습니다. 중년은 새로운 도전을 시도하고 새로운 경험을 하는 데 이상적인 시기입니다. 자신의 본성을 기반으로 성장하고 변화하는 것은 우리의 삶을 더욱 풍부하게 만듭니다.

장자의 말씀에서 "오리 다리가 짧다고 늘리지 말라"는

중년의 삶에서 자신의 본성을 인정하고 받아들이는 것은 진정한 자유와 만족으로 가는 길입니다. 우리의 본성은 우리를 특별하게 만들며, 이를 받아들이고 존중할 때 우리는 진정한 자아를 발견하고 삶의 깊이를 느낄 수 있습니다. 중년은 본성을 잃지 않고, 자신만의 길을 자신 있게 걸어가야합니다. 각자의 본성은 우리를 독특하게 만들고, 그것을 통해 우리는 진정으로 의미 있는 삶을 이끌어냅니다.

장자(莊子) Insight

1. 자신의 삶을 돌아보고 미래를 계획하라

중년은 자신의 삶을 돌아보고 미래를 계획하는 시기다. 이때 자신의 본성을 인정하고 받아들이는 것은 내면의 평화를 찾는 데 필수다. 자기 수용은 자신의 강점과 약점을 모두 포용하며, 자신의 삶에 대한 만족감과 자신감을 높일 수 있다.

2. 본성을 잃지 않고 변화하라

중년에는 변화가 많은 시기로, 이때 자신의 본성을 잃지 않고 변화에 접근하는 것은 중요하다. 자신의 본질에 충실하면서 변화를 받아들이는 것은 삶을 더욱 풍부하고 의미 있게 만든다. 자신의 본성을 이해하고 존중하는 것은 새로운 경험과 도전에 대해 더 개방적이고 유연한 태도를 가지게 한다.

3. 자아를 발견하라

중년은 자기 발견의 여정이다. 자신의 본성을 바꾸려 하지 않고 살아가는 것은, 진정한 자신을 찾고, 자신만의 가치와 열정을 탐구하는 과정이다. 이는 인생 후반부의 행복과 만족을 위한 기반을 마련하며, 자신의 삶을 더욱 의미 있고 충실하게 만든다.

책은 옛사람의 찌꺼기다

•
•
•

"저는 제가 하는 일의 경험에서 말씀드리겠습니다. 수레바퀴를 깎을 때 느리면 헐렁해서 꼭 끼이지 못하고 빨리 깎으면 빡빡해서 들어가지 않습니다. 느리지도 않고 빠르지도 않는 것은 손에 익숙하여 마음에 응하는 것이라, 입으로는 표현할 수가 없습니다. 그사이에는 익숙한 기술이 있는 것이나 저는 그것을 제 자식에게 가르칠 수가 없고 제 자식도 그것을 저에게서 배워갈 수가 없습니다. 옛날의 성인도 마찬가지로 깨달은 바를 전하지 못하고 죽었을 것입니다. 그러니 대왕께서 읽으시는 것도 옛사람의 찌꺼기일 뿐입니다." 《장자, 천도편》

장자의 말씀은 지식과 지혜의 전달, 그리고 세대 간의 학습에 대한 본질적인 문제를 다루며, 중년의 독자들에게 책과 지식에 대한 새로운 관점을 제시합니다. "책은 옛사람의 찌꺼기다"는 맹목적으로 책을 읽는 것이 아니라 실제 경험과 내면의 깨달음을 통한 학습의 중요성을 강조합니다.

책과 글은 지식의 보고라고 여겨져 왔습니다. 하지만 장자가 전하는 메시지는 단순히 글로 배우는 지식이 인간의 깊은 이해와 내면의 깨달음에 이르기에는 부족하다는 것을 시사합니다. 장인은 자신의 기술을 아들에게 전수할 수 없음을 한탄합니다. 이는 지식의 전달이 단어와 문장으로는 완전히 이루어질 수 없음을 의미합니다. 중년에게 이 이야기는 자신의 경험과 실천을 통해 얻은 지혜가 종이 위의 글자보다 가치 있다는 것을 알려줍니다.

또한, 이 이야기는 중년이 되어서도 계속해서 배우고 성장해야 한다는 점을 강조합니다. 중년은 인생의 많은 경험을 쌓은 시기이며, 이때 새로운 지식을 탐색하고 내면의 깨달음을 추구하는 것이 중요합니다. 책과 글은 지식의 시작점일 뿐, 진정한 이해와 지혜는 개인의 경험과 성찰에서 비롯됩니다.

이러한 관점에서 볼 때, 중년은 책을 맹목적으로 읽는

것이 아니라, 책에서 얻은 지식을 자신의 경험과 연결시켜 실천에 옮기는 것이 중요합니다. 책은 영감을 주고, 생각을 자극하며, 새로운 관점을 제공할 수 있지만, 진정한 깨달음은 자신의 삶 속에서 얻은 경험과 성찰을 통해 이루어집니다.

이 이야기는 단순히 수레바퀴 깎는 장인의 기술을 넘어서, 지식과 지혜의 근본적인 가치에 대해 우리에게 질문을 던집니다. 중년의 독자들에게 이 이야기는 책과 글이 제공하는 지식을 넘어서 자신의 경험과 내면의 깨달음을 통해 진정한 지혜를 추구할 것을 권장합니다. 책은 옛사람의 찌꺼기일 수 있지만, 그 찌꺼기에서 우리는 영감을 얻고, 삶의 경험을 통해 그 지식을 자신의 것으로 만들어야 합니다. 책은 우리에게 길을 제시할 수 있지만, 그 길을 걷는 것은 우리 자신의 몫입니다.

장자(莊子) Insight

1. 실천과 경험이 중요하다

중년은 책에서 얻은 지식을 넘어, 실제 생활 속에서의 경험과 실천을 통해 진정한 지혜를 얻어야 한다. 책은 지식의 기초를 제공하지만, 그 지식을 적용하고 실험해 보는 과정에서 비로소 깊은 이해와 의미가 형성된다. 중년에 새로운 취미를 시작하거나, 다른 문화를 경험하거나, 새로운 기술을 배우는 등 다양한 경험을 통해 자신만의 지혜와 이해를 넓혀가야 한다.

2. 내면의 목소리에 귀 기울여라

중년은 외부의 지식과 정보에만 의존하기보다는 자신의 내면과 직관을 신뢰하는 것이 중요하다. 책이나 타인의 조언은 가이드라인을 제공할 수 있지만, 결국 자신의 삶의 방향과 결정은 자신이 결정해야 한다. 자기 성찰을 통해 자신의 가치, 열정, 그리고 삶의 목적에 따라 살아가는 것이 중년의 지혜다.

3. 유연성과 개방성을 유지하라

중년에도 여전히 배우는 자세와 개방된 마음을 유지하는 것은 새로운 지식과 경험을 통해 성장하는 기회를 제공한다. 책이나 과거의 경험에 얽매이지 않고, 변화하는 세상과 다양한 사람들로부터 배울 준비가 되어 있는 자세는 중년에 새로운 관점을 얻고, 삶을 풍부하게 하는 데 큰 도움이 된다.

2부

장자(莊子) Insight

자 기 실 현

새는 새의 방법으로 길러라

•
•
•

"옛날 바닷새가 노나라 서울 밖에 날아 와 앉았다. 노나라 임금은 이 새를 친히 종묘 안으로 데리고 와 술을 권하고 아름다운 궁궐의 음악을 연주해주고, 소와 돼지, 양을 잡아 대접하였다. 그러나 새는 어리둥절해하고 슬퍼하기만 할 뿐, 고기 한 점 먹지 않고 술도 한 잔 마시지 않은 채 사흘 만에 결국 죽어 버리고 말았다. 이것은 자기와 같은 사람을 기르는 방법으로 새를 기른 것이지 새를 기르는 방법으로 새를 기른 것이 아니다."《장자, 지락편》

옛날 노나라의 왕이 바닷새를 발견하고 그에게 국가의 최고 예우를 다해 대접했지만, 결국 새는 죽고 말았다는 이야기는, 바로 존재의 본질을 이해하고 존중해야 한다는 것을 알려줍니다. 중년에게 이 이야기는 어떤 의미를 가질까요? 중년에는 삶의 여러 면에서 변화와 적응이 요구되는 시기입니다. 자녀 교육, 직장에서의 역할, 개인적인 취미나 관심사 등 다양한 영역에서 자신만의 방식을 고집하기 쉬운 시기이기도 합니다. 하지만 장자의 말씀은 우리에게 한 걸음 물러서서, 각자의 본성과 상황에 맞는 방식을 찾아야 한다는 것을 알려줍니다.

자녀를 키우는 과정에서 이 원칙은 특히 중요합니다. 많은 부모가 자신의 미완성된 꿈을 자녀에게 투영하려 하거나, 사회적 기준에 따라 자녀를 교육하려 합니다. 하지만 자녀에게는 고유한 재능과 열정, 그리고 삶을 살아가는 방식이 있습니다. 자녀를 자신의 기대나 사회적 기준에 맞추어 길러내려 하기보다는, 자녀 스스로가 자신의 길을 찾아갈 수 있도록 지원하는 것이 중요합니다.

직장에서도 비슷한 원칙이 적용됩니다. 팀원이나 동료의 다양성을 인정하고 각자의 강점을 살릴 수 있는 환경을 조성하는 것이 중요합니다. 자신의 업무 방식이나 가치관을 다른 이에게 강요하기보다는, 다양한 관점과 접근 방식을 수용함으로써 더욱 풍부하고 창의적인 결과를 도출할 수 있습니다.

개인적인 취미나 관심사에 있어서도 이 원칙은 중요합니다. 중년에 새로운 취미를 시작하거나 오랜 관심사를 다시 탐구하는 것은 삶에 활력을 불어넣을 수 있습니다. 하지만 자신에게 맞지 않는 활동에 억지로 매달리기보다는, 자신의 성향과 상황에 맞는 활동을 찾는 것이 중요합니다.

노나라 왕의 바닷새에 대한 대접은 최상의 의도로 이루어졌지만, 결국 새의 본성과 필요를 이해하지 못한 채로 이루어진 행동이었습니다. 중년은 이 이야기를 통해 자신과 타인의 본성을 인정하고 존중하는 법을 배워야 합니다. 각자가 지닌 독특한 개성과 상황을 이해하고 그에 맞는 방식으로 접근하는 것이 중요합니다.

자기 생각이나 방식을 고집하기보다는 타인의 입장에서 생각해 보고, 그들의 필요와 욕구에 귀 기울이는 태도가 필요합니다. 이를 통해 더욱 조화로운 인간 관계를 구축하고, 각자의 삶을 더욱 풍부하고 의미 있게 만들 수 있습니다.

장자(莊子) Insight

1. 개인의 본성과 욕구를 존중하라

중년에는 자신과 타인의 독특한 개성과 욕구를 인정하고 존중하는 것이 중요하다. 각자의 삶에 맞는 방식으로 살아갈 수 있도록 지지하고, 자신이나 타인에게 외부의 기준이나 기대를 강요하지 않는다. 이는 가족, 친구, 동료와의 관계에서 뿐만 아니라, 자기 자신의 삶을 살아가는 방식에도 적용한다.

2. 변화하고 적응하라

중년은 변화가 많은 시기다. 자녀들이 성장하고, 경력이 변화하며, 신체적으로도 변화를 경험한다. 이 시기에는 변화를 수용하고, 상황에 적응하는 유연성이 필요하다. 자기 삶에 변화가 필요하다면, 과거의 방식에 얽매이지 않고 새로운 접근 방식을 모색해야 한다.

3. 자기 성찰과 성장을 추구하라

중년에는 자기 성찰을 통해 내면의 성장을 이루는 중요한 시기다. 자신의 삶을 되돌아보고, 진정으로 중요하게 생각하는 가치와 목표에 집중해야 한다. 이는 새로운 취미를 탐색하거나, 오랜 꿈을 실현하는 것일 수도 있고, 단순히 자기 삶의 방식을 재평가하고 조정하는 것일 수도 있다.

흉내는 자신이 아니다

•
•
•

"옛날 서시는 가슴앓이 병이 있어 마을을 오갈 때 자주 얼굴을 찡그렸다. 그 마을의 추녀가 이를 보고 아름답다고 여겨 집으로 돌아온 후 가슴을 부여잡고 마을 사람들 앞에서 얼굴을 찡그리고 다녔다." 《장자, 천운편》

옛날 '서시'가 병으로 인해 얼굴을 찡그린 것을 본 마을의 추녀가 그것을 아름다움으로 잘못 이해하고 흉내 내려 한 일화는, 자신을 흉내 내거나 다른 사람의 모습을 따라 하는 것이 아니라, 자신만의 독특한 모습과 장점을 인식하고 살아가야 한다는 메시지를 알려줍니다.

중년은 자신을 돌아보고, 자신의 진정한 모습을 발견하는 중요한 시기입니다. 사회적 압력이나 주변 사람들의 기대 때문에 자신을 다른 사람과 비교하며 살아가는 경우가 많습니다. 그러나 이 이야기에서 배울 수 있듯, 다른 사람을 흉내 내는 것은 자신의 진정한 모습을 감추고, 결국 자신의 가치와 장점을 퇴색시키는 결과를 초래할 뿐입니다.

개성과 장점을 인정하고 받아들이는 것은 중년의 삶을 더욱 충실하고 만족스럽게 만듭니다. 각자는 독특한 배경, 경험, 재능을 가지고 있으며, 이는 다른 누구도 흉내 낼 수 없는 자신만의 가치를 창출합니다. 자신이 가진 독특한 특성을 인식하고, 그것을 삶에 적극적으로 활용함으로써, 더욱 풍부하고 다채로운 인생을 살아갈 수 있습니다.

또한, 자신의 모습을 있는 그대로 받아들이고 사랑하는 것은 자존감을 높이고, 긍정적인 삶의 태도를 갖는 데 중요합니다. 중년에는 물질적 성공이나 외모 등 외부적 요소에 대한 집착을 줄이고, 내면의 가치와 삶의 의미에 더욱 집중하는 것이 필요합니다. 자신의 장점을 인식하고, 그것을 삶에 적용함으로써, 더욱 만족스럽고 의미 있는 삶을 살아갈 수 있습니다.

장자는 중년에게 다른 사람을 흉내 내거나 외부의 기준에 맞추려고 노력하는 것이 아니라, 자신의 진정한 모습과 장점을 찾고 그것을 삶 속에서 발휘하는 것이 얼마나 중요한지를 일깨워줍니다. 중년은 이러한 자아 발견의 여정에서 중대한 전환점이 될 수 있으며, 이 시기를 통해 자신의 내면을 탐색하고, 진정으로 가치 있는 것이 무엇인지를 깨닫는 기회를 가질 수 있습니다.

자신을 있는 그대로 받아들이고, 자신의 장점과 개성을 삶에 적극적으로 통합함으로써, 중년의 독자들은 더욱 충실하고 만족스러운 삶을 살아갈 수 있습니다. 이는 외부의 기준이나 다른 사람의 모습을 따라가려는 노력이 아닌, 자신의 소리에 귀 기울이고, 자신의 진정한 가치를 발견하는 과정에서 비롯됩니다.

장자(莊子) Insight

1. 자신의 진정성 있는 삶을 추구하라

중년에 자신의 진정한 모습을 찾고, 그것을 존중하는 것이 중요하다. 다른 사람의 겉모습이나 행동을 흉내 내는 것이 아니라, 자신의 개성과 가치를 이해하고 그것을 삶 속에서 표현해야 한다. 자신만의 고유한 삶의 방식을 발견하고, 그것에 충실하며 살아갈 때, 만족스러운 삶을 살아갈 수 있다.

2. 내면의 가치에 집중하라

외적인 모습이나 타인의 기준에 맞추기보다는 자기 내면의 가치와 신념에 집중해야 한다. 중년은 자신이 누구인지, 무엇을 중시하는지에 대한 깊은 이해와 자기 성찰의 시기다. 자신의 진정한 열정, 관심사, 그리고 삶의 목적을 찾고, 그것에 따라 삶을 설계하고 구성하는 것이 중요하다.

3. 자기 발전에 투자하라

중년에도 개인적인 성장과 발전을 위해 꾸준히 노력해야 한다. 자신의 장점과 강점을 인식하고, 이를 바탕으로 새로운 기술을 배우거나, 취미를 발전시키거나, 지식을 확장하는 등 자기 자신을 발전시키는 활동에 투자하는 것은 삶을 더욱 풍부하고 의미 있게 만든다. 자기 발전은 자신감을 높이고, 삶의 다양한 영역에서 새로운 기회를 열어준다.

자신의 걸음걸이를 버리지 말라

•
•
•

"중국 전국시대 조나라의 도읍인 한단에 살고 있는 사람들의 걸음걸이는 특별히 멋있었다. 북쪽 연나라 수릉의 젊은이가 조나라 서울 한단에 가서 그곳의 걸음걸이를 배웠다가 웃음거리가 되었다. 이 젊은이는 한단의 걸음걸이를 미처 배우기도 전에 이전의 걸음걸이마저 잊어버려 결국 기어서 고향으로 돌아올 수밖에 없었다." 《장자, 추수편》

현대 사회는 끊임없이 변화하며 우리에게 새로운 도전과 기회를 제시합니다. 이러한 변화 속에서도 자신의 정체성과 가치를 지키는 것은 매우 중요합니다. 장자의 이야기에서 연나라의 젊은이가 조나라 한단의 걸음걸이를 모방하려다가 자신의 본래 걸음걸이마저 잃어버린 것은, 자신의 본질을 잃어버리는 위험성을 상징합니다.

중년은 많은 변화와 도전이 동반되는 시기입니다. 이때 자신의 걸음걸이, 즉 자신만의 개성과 정체성을 지키는 것은 여러 면에서 중요합니다. 우선, 자신의 정체성을 확고히 하는 것은 자신감과 내면의 평화를 가져다줍니다. 타인의 기준이나 사회적 기대에 휩쓸리지 않고 자신만의 길을 걷는 것은 자신의 삶을 보다 의미 있고 충실하게 만듭니다.

또한, 나다움을 지키는 것은 개인의 성장과 발전에도 중요합니다. 새로운 경험과 도전을 통해 자신의 한계를 넓히고, 자신만의 색깔을 더욱 뚜렷하게 할 수 있습니다. 이 과정에서 자신의 걸음걸이를 잃지 않는 것은 자신의 정체성을 더욱 견고히 하고, 삶의 여정에서 중요한 나침반이 됩니다.

자신의 '걸음걸이'를 지키기 위해서는 자기 성찰과 자기 인식이 필수입니다. 자신의 강점, 약점, 가치관 등을 명확히 이해하는 것이 자신만의 길을 걷는 데 중요한 첫걸음입니다. 이를 통해 자신의 삶을 주도적으로 이끌고, 타인의 영향력에 휘둘리지 않는 강인한 정체성을 구축할 수 있습니다.

자신의 걸음걸이를 잃지 않고, 나다움을 지키며 살아가는 것은 쉽지 않은 도전일 수 있습니다. 그러나 이러한 도전을 통해 우리는 보다 의미 있는 삶을 살아가야 합니다. 자신의 가치와 정체성을 확고히 하고, 꾸준히 자기 성찰을 통해 성장해 나간다면, 중년의 삶은 더욱 풍요롭고 충만해질 것입니다. 자신만의 걸음걸이를 소중히 여기고 나다움을 지키는 것은, 변화하는 사회 속에서도 자신의 존재를 확고히 하는 길입니다.

중년에는 삶의 경험이 풍부해지고, 이를 바탕으로 자신의 삶을 더욱 깊이 있게 성찰할 기회가 많아집니다. 이 시기에 자신의 정체성과 가치를 재확인하고, 새로운 가능성을 모색하는 것은 무엇보다 중요합니다. 장자의 이야기에서 연나라 젊은이가 겪은 실패는, 자신의 본질을 잃지 않으며 살아가야 한다는 중요한 교훈을 전합니다.

장자(莊子) Insight

1. 자신에게 충실하라

중년은 다른 사람들의 기대나 사회적 압력에 휘둘리기 쉬워 자신만의 길을 잃기 쉽다. 중요한 것은 자신의 가치관, 열정, 그리고 삶의 목표에 충실하며 살아가는 것이다. 자신의 진정한 열망과 장점을 발견하고, 이를 바탕으로 자신만의 길을 걸어가는 것이 중요하다.

2. 변화에 유연하게 대응하라

삶은 끊임없이 변화하고, 중년에도 예외는 아니다. 자신의 '걸음걸이'를 지키면서도 새로운 상황과 도전에 유연하게 대응하는 능력은 중년의 삶을 더욱 풍요롭게 만든다. 변화를 두려워하지 않고, 새로운 기회로 받아들이며 자신을 계속해서 발전시키는 태도가 중요하다.

3. 자기 반성과 성장 추구하라

자신의 삶을 되돌아보고, 지금까지의 경험에서 배울 점을 찾는 것은 중년기에 매우 중요하다. 자기 반성을 통해 자신의 강점을 더욱 발전시키고, 약점을 개선할 수 있다. 또한, 새로운 것을 배우고 도전하는 것은 중년에도 성장과 발전을 이어가는 데 필수다.

매미조차도 집중해야 잡는다

•
•
•

"처음에는 대나무 장대 위에 알을 두 개를 올려놓고 땅에 떨어지지 않을 때까지 연습을 합니다. 그 후 매미를 잡으러 가면 열 번의 기회가 있으면 세 번만 실수를 했을 뿐입니다. 이후 다시 세 개를 가지고 땅에 떨어지지 않을 때까지 연습을 하고 매미를 잡으면, 열 번의 기회에서 단지 한두 번의 실수가 있을 뿐이었습니다. 마지막으로 다섯 개가 땅에 떨어지지 않을 때까지 연습하고 매미를 잡으니 손으로 물건을 줍는 것처럼 쉬웠습니다. 지금 제 마음 속에는 오직 생각하는 것과 보는 것은 모두 매미의 얇은 날개뿐입니다." 《장자, 달생편》

중년은 종종 다양한 책임과 역할의 교차로에 서 있습니다. 가정, 경력, 개인적 성장 등 수많은 영역에서 우리의 주의와 노력을 요구합니다. 이러한 복잡한 시기에, 공자가 만난 초나라의 노인이 매미를 잡는 이야기는 중요한 교훈을 제공합니다. 노인의 매미 잡기 기술은 단순한 생활 기술을 넘어, 집중과 헌신의 가치를 상징합니다. 그의 방법은 우리에게 하나의 목표에 집중함으로써 얻을 수 있는 놀라운 결과를 보여줍니다.

노인의 매미 잡기 기술은 단계적인 과정을 통한 숙련의 중요성을 강조합니다. 그는 처음에는 두 개의 알을 대나무 장대에 올려놓고, 이후 세 개, 그리고 마지막으로 다섯 개를 사용하여 연습합니다. 이러한 점진적인 접근 방식은 어떤 목표든 단계별로 접근하면 더 효과적으로 달성할 수 있다는 것을 보여줍니다. 중년에는 경력 개발, 자기계발, 심지어 가정 생활에도 적용할 수 있습니다. 하나의 큰 목표를 작은 단계로 나누고, 각 단계에 집중하여 차근차근 이루어 나가는 것입니다.

노인의 이야기에서 또 다른 중요한 요소는 전적인 집중입니다. 그는 매미를 잡을 때, 그의 마음과 시선은 오로지 매미의 날개에만 집중됩니다. 이는 우리의 목표에 대한 전적인 집중의 중요성을 상징합니다. 중년에 많은 사람들이 다양한 책임과 분산된 주의로 인해 자신의 목표에 집중하기 어려워합니다. 노인의 방법은 우리에게 한 가지에 집중하면, 심지어 가장 작고 미묘한 목표조차도 달성할 수 있다는 것을 보여줍니다.

마지막으로, 노인의 기술은 인내와 지속적인 노력의 중요성을 강조합니다. 매미 잡기는 하루아침에 이루어진 것이 아니라, 오랜 시간 동안의 연습과 헌신을 통해 달성된 결과입니다.

공자가 만난 노인의 매미 잡기 이야기는 단순한 일화 이상의 의미를 지닙니다. 우리 삶에서 직면하는 다양한 도전과 목표를 달성하기 위해서는 이러한 원칙들을 적용하는 것이 중요합니다. 중년은 변화와 성장의 시기이며, 우리가 직면한 여러 과제들은 우리의 집중력과 헌신을 시험합니다. 하지만 노인이 매미를 잡는 기술에서 배울 수 있듯이, 우리의 목표에 전적으로 집중하고, 점진적인 접근 방식을 취하며, 인내심을 가지고 지속적으로 노력한다면, 우리는 어떠한 목표도 달성할 수 있습니다.

장자(莊子) Insight

1. 전문성 개발을 위해 집중하라

중년에는 전문성을 더욱 발전시킬 수 있는 중요한 시기로, 특정 기술이나 지식 영역에 집중하는 것이 중요하다. 노인이 매미 잡기 기술을 연마하기 위해 단계별로 접근하고 반복 연습한 것처럼, 우리도 자신의 역량을 강화하고 전문성을 높이기 위해 꾸준히 학습하고 연습해야 한다.

2. 한 가지에 집중하는 삶의 태도를 가져라

중년에는 책임과 압박으로 인해 분산된 주의력을 경험할 수 있는 시기다. 이러한 상황에서 한 가지에 집중하는 삶의 태도를 갖는 것이 중요하다. 이는 단순히 업무에만 해당되는 것이 아니라, 취미, 자기계발 등 삶의 모든 영역에 적용될 수 있다.

3. 내면의 평화와 집중을 유지하라

노인이 매미 잡기에 완전히 몰두할 수 있었던 것은 내면의 평화와 집중을 유지했기 때문입니다. 중년에도 이러한 내면의 평화를 유지하는 것이 중요하다. 내면의 소음을 줄이고 현재 순간에 집중함으로써, 우리는 삶의 질을 높이고, 스트레스를 관리하며, 더 명확한 결정을 내릴 수 있다.

관상이 미래를 결정하지 않는다

어떤 사람이 관상쟁이에게 아들들을 물어보았다. "그래 누구의 관상이 가장 좋습니까?" "막내가 가장 좋아요." "어떤 상이길래요?" "임금님과 함께 나랏밥 먹을 상이요." 세월이 흘러 막내는 다른 나라로 장사를 떠났다가 강도를 만났다. 강도는 막내를 노예로 팔았다. 막내는 노예가 되어 궁궐에서 임금의 몸종으로서 나랏밥을 먹으며 일생을 마쳤다. 《장자, 서무귀편》

인간의 운명과 미래를 예측하려는 시도는 오랜 역사를 가지고 있으며, 그 중에서도 관상학은 개인의 외모에서 운명과 성격을 읽어내려는 전통적인 방법 중 하나입니다. 이러한 신비로운 예측 방식은 때때로 우리에게 흥미로운 통찰을 제공할 수 있지만, 장자의 이 이야기는 이러한 예측이 얼마나 모호하고 불확실한지를 상기시켜 줍니다. 한 아버지가 자식들의 미래를 알고자 관상가에게 조언을 구합니다. 관상가는 막내 아들의 관상이 가장 좋으며 임금님과 나랏밥을 먹을 운명이라고 말합니다. 하지만 시간이 지나 막내의 운명은 전혀 예상치 못한 방향으로 흘러갑니다.

막내 아들이 결국 임금님과 나랏밥을 먹게 되었지만, 그것은 노예로서의 삶이었으며, 이는 분명 관상가가 처음 예상했던 바와는 다릅니다. 이는 미래를 예측하려는 시도가 얼마나 허망하고 때로는 위험할 수 있는지를 보여줍니다. 우리는 미래에 대한 예측에 의존하기보다는 현재를 살아가는 데 집중해야 합니다.

또한, 이 이야기는 우리의 미래가 우리의 행동과 결정에 의해 형성된다는 사실을 강조합니다. 막내의 삶은 예상치 못한 사건으로 인해 바뀌었고, 그의 운명은 그의 외모나 관상가의 예측과는 무관하게 전개되었습니다. 이는 우리에게 미래는 예측할 수 없는 것이며, 우리의 선택과 행동이 우리의 운명을 결정한다는 교훈을 줍니다. 따라서, 우리는 미래를 예측하려는 유혹에 빠지기보다는, 우리의 결정과 행동에 더 많은 책임감을 가져야 합니다.

장자는 관상이나 미래 예측에 대한 신뢰를 경계하며, 우리의 운명이 우리의 행동과 결정에 의해 결정된다는 중요한 메시지를 전달합니다. 관상학과 같은 예측 방법이 제공할 수 있는 흥미로운 통찰에도 불구하고, 우리는 이러한 예측이 우리의 삶을 지배하게 해서는 안 됩니다. 미래는 불확실하며, 때로는 우리의 예상과 전혀 다른 방향으로 전개될 수 있습니다. 중요한 것은 미래를 예측하려는 시도에 의존하기보다는, 현재의 순간에 집중하고, 우리 앞에 놓인 결정들에 대해 신중하게 생각하며, 책임감 있는 행동을 하는 것입니다.

우리는 미래에 대한 불확실성을 받아들이고, 현재의 순간에 최선을 다하는 삶을 살아야 합니다. 이것이야말로 진정으로 의미 있는 미래를 만드는 방법입니다.

장자(莊子) Insight

1. 현재에 집중하라

중년에는 과거의 성취와 미래의 불확실성 사이에서 균형을 맞추려고 애쓰는 시기다. 미래를 예측하려는 시도가 얼마나 무익할 수 있다. 따라서 중년은 미래에 대한 과도한 걱정을 줄이고, 현재의 순간에 집중하며, 현재 할 수 있는 일에 최선을 다해야 한다.

2. 유연성을 길러라

본문에서 막내의 운명은 예상치 못한 방향으로 전개되는데, 이는 삶이 언제나 예상대로 흘러가지 않을 수 있음을 상기시켜 준다. 중년은 변화하는 상황에 유연하게 대응할 수 있는 능력을 키워야 한다. 유연성은 새로운 기회를 발견하고, 어려움을 극복하는 데 도움이 된다.

3. 자기 주도적인 삶을 추구하라

관상가의 예측에 의존하는 대신, 개인의 선택과 행동이 우리의 미래를 형성한다는 점이 중요하다. 자신의 삶을 스스로 결정하고 주도할 수 있는 능력을 발전시켜야 한다. 이는 목표 설정, 계획 수립, 그리고 적극적으로 문제를 해결하는 태도를 포함한다. 자기 주도적인 삶이 되어야 한다.

단점도 자기 자신이다

•
•
•

"어떤 사람이 자기 그림자를 두려워하고 자기 발자국을 싫어하여 그것을 떨쳐내려고 달려 도망친 자가 있었는데, 발을 들어 올리는 횟수가 많으면 많을수록 그만큼 발자국도 더욱 많아졌고 달리는 것이 빠르면 빠를수록 그림자가 몸에서 떨어지지 않았는데, 그 사람은 스스로 자신의 달리기가 아직 더디다고 생각해서, 쉬지 않고 질주하여 마침내는 힘이 다하여 죽고 말았다." 《장자, 어부편》

중년은 과거와 미래 사이에서 균형을 찾으려는 여정입니다. 장자의 이야기에서 한 사람이 자신의 그림자와 발자국을 두려워해 달아나려 하지만, 결국 그것들을 벗어날 수 없음을 깨닫지 못하고, 지친 나머지 죽음에 이르는 비극을 담고 있습니다. 이는 중년의 삶에서 자신의 단점과 한계를 받아들이는 것의 중요합니다.

중년은 자신의 삶을 되돌아보고 자기 인식을 깊게 하는 시기입니다. 이 시기에는 젊은 시절 세웠던 목표가 실현되었는지, 아니면 수정이 필요한지를 평가합니다. 이 과정에서 자신의 단점과 한계를 명확히 인식하는 것이 중요합니다. 그림자를 두려워하며 도망치려는 행위는 자신의 일부를 부정하는 것과 같습니다. 중년의 삶에서 자신의 단점을 인정하고 받아들이는 것은 성숙함의 첫걸음입니다.

자기 단점을 인정하는 것은 결코 쉬운 일이 아닙니다. 하지만 이를 통해 자신을 더 잘 이해하고, 결국은 자신의 삶을 더 풍부하게 만들 수 있습니다. 자신의 한계를 받아들임으로써 우리는 더 현실적인 목표를 설정하고, 자신에게 맞는 성장 경로를 찾을 수 있습니다. 중년의 삶에서 이러한 자기 수용은 새로운 시작을 의미할 수 있으며, 자신의 삶을 더욱 의미 있고 만족스럽게 만드는 데 중요한 역할을 합니다.

중년은 삶의 여러 측면 사이에서 균형을 찾는 시기입니다. 가족, 일, 개인적인 관심사 사이에서 조화를 이루려는 노력이 필요합니다. 자신의 단점을 인정하고 받아들이는 것은 이러한 균형을 찾는 데 도움이 됩니다. 자신의 그림자와 발자국, 즉 자신의 단점과 한계를 받아들이는 것은 중년의 삶에서 중요한 교훈입니다. 이를 통해 우리는 더 현실적인 목표를 세울 수 있고, 삶의 여러 측면 사이에서 균형을 찾으며, 자신만의 조화로운 삶을 구축할 수 있습니다. 중년의 시기는 변화의 시기이며, 자신의 단점을 수용하고 그것을 자신의 삶에 통합하는 과정을 통해, 우리는 더 강하고, 더 지혜롭고, 더 성숙한 자아로 거듭날 수 있습니다.

자신의 그림자를 두려워하지 않고, 발자국을 싫어하지 않으면, 우리는 장자가 말한 비극적인 운명을 피할 수 있습니다. 대신, 우리는 자신의 내면을 깊이 파악하고, 자신의 삶을 주도적으로 이끌어 갈 힘을 발견할 것입니다. 중년은 이러한 자기 발견의 과정을 통해 새로운 기회의 시기가 될 수 있습니다. 자신의 단점을 받아들이고, 이를 통해 성장하며, 삶의 다음 단계로 나아가는 것이 중년을 위한 진정한 지혜입니다.

장자(莊子) Insight

1. 자신의 본질을 인정하라

중년에는 자신의 과거, 현재, 그리고 미래를 포용하는 것이 중요하다. 자신의 그림자, 즉 자신의 약점과 실패, 그리고 그동안 남긴 발자국, 즉 삶의 여정과 성취를 인정해야 한다. 자신의 본질을 인정하고 사랑하며, 개성과 독특함을 존중하고, 자신이 진정으로 원하는 것과 자신에게 중요하다.

2. 본질적 가치에 집중하라

중년은 자신의 삶을 재평가하고 본질적인 가치에 집중할 수 있다. 사회적 기대나 타인의 판단이 아닌, 자신의 내면에서 우러나오는 가치와 열정에 귀 기울여야 한다. 이는 경력, 관계, 취미, 또는 생활 방식의 변화를 의미하며, 자신만의 길을 찾는 과정에서 자유와 만족을 느낄 수 있다.

3. 현재에 집중하고 미래를 계획하라

중년에는 과거의 그림자를 두려워하거나 미래에 대해 지나치게 염려하기보다는 현재에 집중하는 것이 중요하다. 이는 과거의 경험에서 배우고, 현재의 순간을 충분히 즐기며, 미래를 위해 의미있는 계획을 세우는 것을 포함한다. 자신의 삶을 주도적으로 살아가며, 자신이 진정으로 추구하는 행복과 성취를 위해 단계적으로 나아가야 한다.

아직도 용 잡는 기술을 찾는가

•
•
•

"주평만은 지리익에게서 용을 죽이는 기술을 배웠다. 천금의 가산을 탕진해 3년 만에 기술을 터득했으나 그 뛰어난 기술을 쓸 곳이 없었다. (...) 필부의 지식은 선물이나 편지 따위의 하잘것없는 일에서 벗어나지 못한다. 번거롭고 하찮은 일에 정신을 지치게 만드는 주제에 마음을 빼앗긴다." 《장자, 열어구편》

《장자》에서 언급된 '주평만'은 중년이 되어서도 여전히 '용잡는 기술'을 찾고 있는 우리의 모습을 상징적으로 보여줍니다. 천금을 들여 배운 능력이 현실에서는 쓸모없게 된 이야기는, 변화하는 세상 속에서 우리가 어떻게 적응하고 성장해야 하는지에 대한 귀중한 교훈을 알려줍니다.

중년은 종종 과거의 성공 경험과 습득한 기술에 얽매여 새로운 기회를 보지 못하고, 변화하는 세상을 제대로 읽지 못합니다. 주평만이 용을 죽이는 기술에 몰두했듯, 우리도 한때는 가치 있었던 기술이나 지식에 집착하며 현재와 미래의 변화를 간과할 위험이 있습니다. 세상은 끊임없이 변화하며, 그 변화 속에서 살아남기 위해서는 과거의 성공이 아닌 현재와 미래의 가능성에 주목해야 합니다.

자기 반성과 새로운 기술 습득에 있어, 과거의 성공에 안주하지 않고 자기 반성을 통해 현재의 자신을 객관적으로 평가하는 것이 중요합니다. 자신의 기술과 지식이 현재의 세계에서 어떤 가치를 가지는지, 어떤 부분이 부족한지를 인정하는 것에서 시작해야 합니다. 이어서, 새로운 기술과 지식을 배우려는 자세가 필요합니다. 이는 단순히 새로운 정보를 습득하는 것을 넘어, 현대 사회의 다양한 변화와 흐름을 이해하고, 그 안에서 자신의 역할을 찾아가는 과정입니다.

유연성과 적응력은 중년의 삶에서 매우 중요합니다. 과거에 얽매이지 않고 변화에 적응하는 능력은 새로운 기회를 발견하고, 현재의 도전을 극복하는 데 필수적입니다.

유연성은 자신의 생각과 행동을 변화하는 상황에 맞춰 조정할 수 있는 능력을 의미하며, 이는 새로운 상황에서도 효과적으로 대응할 수 있는 기반을 마련해 줍니다.

결론적으로, 주평만은 과거의 성공과 실패에 얽매이지 않고 현재의 변화를 읽고 적응하는 중요성을 일깨워 줍니다. 중년이 '용잡는 기술'처럼 과거의 기술에 집착에 머물러서는 안됩니다. 자기 반성을 통한 자신의 현재 위치를 정확히 파악하고, 유연성과 적응력을 바탕으로 새로운 기술과 지식을 습득하는 것은 중년의 삶을 보다 충족되고 의미 있게 만드는 핵심 요소입니다. 변화하는 세상에서 자신만의 가치를 창출하고, 새로운 기회를 포착하여 이를 통해 자신의 삶을 재창조하는 과정은 결코 쉽지 않습니다. 하지만 이 과정을 통해 얻어지는 새로운 경험과 성장은 중년기를 더욱 풍부하고 다채롭게 만듭니다.

장자(莊子) Insight

1. 현재의 필요와 맞는 기술과 지식에 투자하라

주평만의 이야기는 과거의 성공이나 관습에 얽매이지 않고, 현재와 미래의 요구에 맞는 기술과 지식에 투자해야 한다는 것을 강조한다. 중년에는 자신의 역량과 관심사를 재평가하고, 세상의 변화를 읽어 현재에 필요한 기술을 개발하거나 기존 기술을 새로운 맥락에 맞게 조정하는 데 시간과 자원을 할애해야 한다.

2. 유연성과 적응력을 강화하라

변화하는 세상에서 중년을 성공적으로 살아가기 위해서는 유연성과 적응력이 필수다. 과거에 효과적이었던 방식이나 기술이 현재에는 적합하지 않을 수 있기 때문이다. 따라서, 중년의 개인은 새로운 상황에 빠르게 적응하고, 필요에 따라 변화할 수 있는 유연한 사고방식을 갖추어야 한다.

3. 자기 성찰과 성장을 추구하라

주평만의 경험은 중년에 자기 성찰의 중요성을 알려준다. 자신의 지식과 기술이 현재의 세계에 어떻게 적용될 수 있는지, 또한 자신이 어떻게 개인적으로 성장하고 발전할 수 있는지에 대해 깊이 생각해 보아야 한다. 중년은 개인적 성장을 추구하고 새로운 관심사나 열정을 탐색하는 좋은 기회다.

습관이 길도 만든다

●
●
●

"길은 사람이 자주 다닌 까닭에 만들어진 것이고, 사물의 명칭 또한 사람이 그리 불러서 그같이 붙여진 것이다. 무엇이 그리 만든 것인가? 습관이 그리 만든 것이다."《장자, 제물론편》

중년은 자신을 돌아보고 새로운 목표를 설정하는 시기입니다. 습관은 단순한 행동의 반복이 아니라, 우리 삶의 궤적을 이루며, 결국 우리의 인격을 형성하는 근본적인 요소입니다.

습관은 우리 삶의 기본적인 구조를 이룹니다. 매일 반복되는 작은 습관들이 모여 우리의 삶을 형성하고, 결국 우리의 인격에 영향을 미칩니다. 중년에는 이러한 습관이 더욱 중요해집니다. 오랜 시간 동안 익혀온 습관들이 우리의 생각과 행동 방식에 깊이 뿌리내리며, 우리가 누구인지를 정의합니다. 그러나 중년은 또한 새로운 습관을 형성하고, 변화와 성장을 추구하는 기회의 시기이기도 합니다.

중년의 꾸준함은 변화를 이끄는 핵심 요소입니다. 한 번의 큰 노력보다는 매일 지속되는 작은 습관들이 결국 큰 변화를 만들어냅니다. 예를 들어, 건강을 위해 매일 조금씩 운동하는 것, 지식을 넓히기 위해 꾸준히 독서하는 것 등이 이에 해당합니다. 이러한 꾸준한 습관은 시간이 지남에 따라 우리의 생각과 행동 방식을 변화시키며, 결국 인격의 변화로 이어집니다.

중년에 새로운 습관을 형성하는 것은 도전일 수 있습니다. 이미 형성된 습관과 생각의 패턴을 바꾸는 것은 쉽지 않기 때문입니다. 그러나 이 시기에 습관을 변화시키려는 노력은 인생의 새로운 장을 여는 열쇠가 될 수 있습니다. 새로운 습관을 형성하기 위해서는 작은 목표를 설정하고, 그것을 달성하기 위해 일상에서 꾸준히 실천하는 것이 중요합니다. 이 과정에서 실패를 두려워하지 않고, 꾸준히 자신을 독려하는 태도가 필요합니다.

중년의 변화와 성장을 추구할 수 있는 중요한 시기입니

다. 장자가 말한 “습관이 길을 만든다”는 꾸준한 습관의 중요성을 일깨워줍니다. 꾸준한 습관은 단순한 일상의 반복을 넘어, 우리의 인격을 변화시키고 새로운 삶의 길을 개척하는 강력한 도구가 될 수 있습니다. 중년에 접어들면서, 우리는 과거의 습관을 재평가하고 필요한 변화를 실현할 수 있는 기회를 갖게 됩니다.

장자(莊子) Insight

1. 일상에서 작은 습관을 쌓아가라

중년에는 삶의 큰 변화보다는 일상에서의 작은 변화가 중요하다. 매일 조금씩 건강을 챙기기, 꾸준한 자기 계발, 정기적인 자기 반성과 같은 습관들이 장기적으로 큰 변화를 만든다. 이러한 작은 습관들이 모여 개인의 인격을 형성하고, 삶의 질을 향상시키며, 새로운 길을 개척하는 기반을 마련한다.

2. 인내와 지속성을 가지고 목표 추구하라

중년은 단기간에 성과를 내기보다는 인내와 지속성을 가지고 장기적인 목표를 추구해야 하는 시기다. 성공과 성취는 하루아침에 이루어지지 않으며, 꾸준한 노력과 시간이 필요하다. 중년에는 이러한 인내심을 바탕으로, 자신의 목표와 꿈을 향해 한 걸음씩 나아가는 것이 중요하다.

3. 자기 자신을 재발견하고 성장시켜라

중년에는 과거의 자신을 되돌아보고, 새로운 가능성을 탐색할 수 있는 시기다. 이때 자신의 삶을 재평가하고, 새로운 취미나 관심사를 발견하며, 자기 자신을 계발하는 것이 중요하다. 꾸준한 자기 성찰과 개인적 성장은 중년기를 더욱 의미 있고 충만한 시기로 만들어준다.

조삼모사, 아침에 세 개, 저녁에 네 개

"일찍이 원숭이를 기르는 '저공'이 원숭이에게 도토리를 나눠주면서 이렇게 말했다. "아침에 3개, 저녁에 4개를 주겠다." 원숭이들이 화를 내자 그가 다시 말했다. "그렇다면 아침에 4개, 저녁에 4개를 주겠다." 원숭이들이 모두 기뻐했다. 하루에 7개를 준다는 점에서 아무 변화가 없는데도 원숭이들은 기뻐하기도 하고 슬퍼하기도 했다. 사람들이 원숭이들과 똑같은 잘못을 저지르는 것도 바로 이 마음이 작용했기 때문이다." 《장자, 제물론편》

중년은 삶의 경험과 지혜가 교차하는 시기입니다. 이 시기에는 변화와 적응, 그리고 새로운 시작이 필요한 때입니다. 장자의 이야기에서 '저공'이 원숭이들에게 도토리를 나눠주는 방식을 통해, 우리는 인간의 인식과 만족도에 대한 깊은 통찰을 얻을 수 있습니다.

중년에게 인식의 변화는 매우 중요합니다. 본문에서 원숭이들의 반응은 도토리의 실제 분배량이 아니라, 그들이 받아들이는 방식에 의해 결정되었습니다. 마찬가지로, 중년에게 직면하는 상황의 실제 조건보다는, 그 상황을 어떻게 인식하고 받아들이는지가 더 중요할 수 있습니다. 삶의 도전과 기회를 긍정적으로 보는 태도는 중년기의 만족도와 행복을 크게 높입니다.

중년은 변화가 잦은 시기로, 유연성과 적응력이 필수입니다. '저공'이 원숭이들의 반응에 따라 도토리를 나눠주는 방식을 바꾼 것처럼, 우리도 삶의 변화에 유연하게 대응해야 합니다. 경력 변화, 가족 구성원의 변화, 건강 문제 등 삶의 다양한 영역에서 유연하게 대처하는 능력은 중년에는 매우 중요합니다.

원숭이들이 도토리를 받는 방식에 대한 저공의 제안 변경에서 볼 수 있듯이, 때로는 작은 관점의 전환만으로도 큰 만족과 긍정적인 변화를 이끌어냅니다. 중년에는 삶의 우선순위를 재정립하고, 가치 있는 것에 집중하며, 새로운 관점으로 삶을 바라보는 것이 필요합니다.

중년은 삶의 여정에서 중요한 변곡점입니다. 장자의 이

야기는 우리에게 중년에 인식의 변화, 유연성, 그리고 관점의 전환의 중요성을 일깨워줍니다. "아침에 세 개, 저녁에 네 개"의 원칙은 단순히 도토리를 나눠주는 방법 이상의 것을 의미합니다. 이는 중년이 삶을 바라보는 새로운 방식, 삶의 도전과 기회를 긍정적으로 수용하는 태도, 그리고 변화에 유연하게 대응하는 능력을 상징합니다.

조삼모사의 원리를 중년의 삶에 적용함으로써, 우리는 더 큰 만족과 행복을 찾고, 삶의 질을 높이는 길을 발견합니다. 우리가 겪는 많은 상황은 고정되어 있지 않으며, 우리의 인식과 태도에 따라 그 의미가 달라질 수 있습니다.

장자(莊子) Insight

1. 인식을 전환하라

중년에는 상황을 바라보는 관점을 바꿔 생각하는 능력이 중요하다. 원숭이들이 도토리의 총량이 변하지 않았음에도 불구하고, 분배 방식의 변화에 다르게 반응한 것처럼, 우리의 인식과 해석은 우리의 만족감과 행복에 큰 영향을 미친다. 따라서 중년기에는 어려움이나 도전을 다른 관점에서 바라보고, 새로운 기회로 전환할 수 있는 인식의 전환을 추구해야 한다.

2. 유연성과 적응성을 강화하라

변화는 삶의 불가피한 부분이며, 중년에는 다양한 변화와 도전에 직면한다. '저공'이 원숭이들의 반응에 유연하게 적응하여 해결책을 제시한 것처럼, 중년기에도 새로운 상황과 변화에 유연하게 대응할 수 있는 적응성을 강화하는 것이 중요하다. 이는 개인적, 전문적 삶에서의 성장과 발전에 기여한다.

3. 긍정적인 변화를 위한 소통을 강화하라

'저공과 원숭이들 사이의 상호작용은 소통과 협상의 중요성을 보여준다. 중년에는 가족, 동료, 친구들과의 관계에서 서로의 기대와 요구 사항을 효과적으로 소통하고 협상하는 능력이 더욱 중요해진다. 이를 통해 상호 만족할 수 있는 해결책을 찾고, 긍정적인 변화를 이끌어낼 수 있다.

물이 깊어야 배가 뜬다

•
•
•

“물이 깊지 않으면 큰 배를 띄울 수 없다. 한 잔의 물을 마루의 움푹 파인 곳에 엎지르면 겨자씨 정도가 배가 될 수 있다. 하지만 거기에 잔을 놓으면 바닥에 닿고 만다. 물은 얕고 배는 크기 때문이다.”《장자, 소요유편》

중년에게 “물이 깊어야 배가 뜬다”는 의미는 무엇일까요? 이는 단순히 나이를 먹는 것이 아니라, 삶의 깊이와 내면의 성장을 추구하는 것을 의미합니다. 장자의 비유에서 배는 우리의 삶과 야망을 상징하며, 물은 우리 삶의 깊이와 지혜를 상징합니다. 깊은 물은 더 큰 배, 즉 더 큰 꿈과 목표를 지탱할 수 있는 풍부한 내면의 세계를 의미합니다.

중년은 자기 성찰과 내면의 깊이를 발전시키기에 이상적

인 시기입니다. 이를 위해 독서, 예술, 여행 등 다양한 방법으로 새로운 경험을 하고 지식을 쌓아 내면의 세계를 확장할 수 있습니다. 이러한 경험은 우리의 삶에 깊이와 풍요로움을 더하며, 우리가 직면한 도전을 극복하는 데 필요한 지혜와 통찰력을 제공합니다.

중년은 종종 삶의 전환점이 되는 시기로, 개인적이고 직업적인 목표를 재평가하고 새로운 목표를 설정하는 기회를 제공합니다. 이 시기에는 과거의 성취와 실패를 반성하며, 앞으로 나아가고자 하는 방향을 명확히 할 수 있습니다. 삶의 의미를 재정립함으로써, 우리는 더 깊이 있는 삶을 영위할 수 있으며, 이는 우리 삶을 더욱 풍요롭게 만듭니다.

중년은 또한 우리 삶의 관계를 재평가하고 더 깊이 있는 인간 관계를 구축하는 시기입니다. 가족, 친구, 동료와의 관계를 통해 우리는 사랑, 우정, 동료애와 같은 인간의 근본적인 가치를 경험하게 됩니다. 이러한 관계는 우리의 삶에 큰 의미를 더하고, 우리가 마주하는 어려움을 함께 극복하며 내면의 깊이를 더욱 발전시킬 수 있습니다. 따라서 관계의 질을 높이는 것은 중년의 중요한 목표가 될 수 있으며, 이를 통해 우리는 더 깊이 있는 삶을 살아갈 수 있습니다.

중년은 인생의 한 단계이자, 자아 발견과 내면의 깊이를 탐구하는 귀중한 기회입니다. 장자의 "물이 깊어야 배가 뜬다"는 말은 중년기에 우리 자신의 내면을 깊이 탐색하고, 삶의 의미를 재정립하며, 더 깊이 있는 인간 관계를 추구해야 함을 상기시켜 줍니다. 내면의 깊이를 발전시키고, 삶의 목표와 가치를 재평가하며, 질 높은 인간 관계를 구축함으로써, 우리는 중년의 삶을 보다 풍요롭고 의미 있는 여정으로 만들 수 있습니다.

장자(莊子) Insight

1. 내면의 깊이를 발견하라

중년에는 자신을 깊이 있게 탐구하고 자기 이해를 높이는 시기다. 삶의 경험과 지혜를 통해 자신의 가치, 열정, 목표에 대해 더 잘 이해하게 된다. 이러한 자기 탐구는 삶의 깊이를 더하고, 자신만의 독특한 배를 만들어 나갈 수 있다.

2. 관계의 깊이를 쌓아라

중년에는 인간 관계에서도 깊이를 추구하는 것이 중요하다. 가족, 친구, 동료들과의 관계를 깊게 다져 나가며, 진정한 의미에서의 소통과 연결을 경험한다. 깊이 있는 관계는 삶에 큰 의미와 만족감을 부여하며, 우리의 배가 더욱 튼튼하게 물위에 떠 있어야 한다.

3. 지식과 경험의 깊이를 확장하라

중년에는 지속적인 학습과 성장을 통해 지식과 경험의 깊이를 확장하는 것이 중요하다. 새로운 취미를 배우거나, 전문 분야에서 더 깊은 지식을 쌓거나, 새로운 문화를 경험하는 것 등은 삶의 깊이를 더하는 방법이다. 이러한 지속적인 학습과 성장은 중년의 삶을 더욱 풍요롭고 다채롭게 만든다.

3부

장자(莊子) Insight

자기극복

자만심이 가득한 사마귀의 죽음

•
•
•

"거백옥이 말했다. "그대는 사마귀라는 벌레의 이야기를 아는지요? 사마귀는 화가 나서 팔을 걷어붙이고는 달려오는 수레에 맞섭니다. 자신이 수레를 감당할 수 없다는 것을 모르기 때문입니다. 이것은 자신의 능력을 과신해서 일어난 일입니다. 조심하고 삼가십시오. 훌륭하다고 자만이 지나치면 위험해집니다."《장자, 인간세편》

사마귀의 이야기는 자만심의 위험성에 대한 강력한 메타포입니다. 사마귀가 달려오는 수레에 맞서는 행동은 자신의 능력을 과대평가하고 현실적인 한계를 인식하지 못하는 상황을 상징합니다. 중년에도 비슷한 위험에 빠질 수 있습니다. 오랜 경험과 성취를 통해 축적된 자신감이 때로는 우리의 판단을 흐리게 하고, 불필요한 위험을 감수하게 만들 수 있습니다.

중년에는 자신의 성취를 통해 얻은 지혜를 바탕으로 현명한 결정을 내릴 수 있는 능력이 있습니다. 그러나 이는 또한 자신의 한계와 취약점을 인정하는 겸손함을 필요로 합니다. 사마귀의 이야기는 우리에게 자신의 능력과 한계를 현실적으로 평가하는 것의 중요성을 상기시켜 줍니다.

겸손은 자만심을 극복하고 지혜로운 선택을 하는 데 중요한 덕목입니다. 겸손한 태도는 우리가 다른 사람의 의견과 조언을 경청하게 하며, 잠재적인 문제를 미리 인식하고 대비할 수 있게 합니다. 중년기에 겸손을 유지하는 것은 자신과 주변 사람들에게 긍정적인 영향을 미칠 뿐만 아니라, 더 현명하고 지속 가능한 결정을 내리는 데 도움이 됩니다.

중년에도 학습과 성장의 여정은 계속됩니다. 우리는 새로운 지식을 탐구하고 새로운 기술을 배우며, 다양한 경험을 통해 계속해서 성장할 수 있습니다. 자만심에 사로잡히지 않고 겸손하게 자신을 개발하는 것은 중년의 삶을 더욱 풍요롭고 의미 있게 만들 수 있습니다.

중년은 삶의 깊이를 더하는 중요한 시기이지만, 장자의

사마귀 이야기에서 배울 수 있듯이, 과도한 자만심은 위험을 초래합니다. 자신의 능력과 한계를 현실적으로 평가하고, 겸손을 유지하며, 지속적인 학습과 성장에 헌신함으로써, 우리는 중년의 도전을 현명하게 극복하고 삶을 보다 충실하게 만들 수 있습니다. 중년의 사마귀가 되지 않기 위해서는 자신의 성취에 안주하지 않고, 항상 개방된 마음으로 새로운 지식과 경험을 받아들여야 합니다. 이를 통해 우리는 삶의 더 깊은 의미를 발견하고, 자신과 주변 사람들에게 더 큰 가치를 제공합니다.

장자(莊子) Insight

1. 자기 반성으로 겸손하라

중년은 자신의 삶과 성취를 돌아보며 자기 반성을 하는 시기다. 사마귀의 이야기처럼, 자신의 능력을 과대평가하지 않도록 주의해야 한다. 겸손함을 유지하고, 자신의 한계를 인정해야 한다. 이는 자만심으로 인한 잘못된 판단이나 실수를 방지하고, 더 현명하고 지혜로운 결정을 내리는 데 도움이 된다.

2. 지속적인 학습으로 성장하라

중년에도 학습과 성장은 멈추지 않는다. 새로운 지식과 기술을 배우고, 다양한 경험을 통해 꾸준하게 자신을 발전시키는 것이 중요하다. 이는 사마귀와 같이 자신의 능력을 과신하고 정체되지 않도록 방지하며, 변화하는 세상에 적응하고 성공적으로 나아갈 수 있는 기반을 마련한다.

3. 유연성과 개방성을 길러라

중년은 삶의 다양한 변화와 도전에 직면하는 시기다. 유연하게 상황에 적응하고, 새로운 아이디어와 다른 사람들의 의견에 개방적인 태도를 가지는 것이 중요하다. 자만심이 가득한 사마귀처럼 고집스럽게 자신만의 방식에 집착하지 않고, 다양한 관점과 가능성을 수용함으로써, 더 풍부하고 의미 있는 삶을 이끌어갈 수 있다.

마음만 수련하다 호랑이에게 잡아먹히다

●
●
●

"노나라에 선표라는 은자가 있었습니다. 그는 바위굴을 거처로 삼고 골짜기에서 살면서 물만 마시고 사람들과 이익을 다투지 않았습니다. 나이 칠십이 되어서도 ㅇ덜굴빛이 갓난아이 같았습니다. 그러나 불행하게도 굶주린 호랑이를 우연히 만나 호랑이에게 잡아먹혔습니다. 그는 내면의 덕만 신경 썼기 때문입니다. 삶을 잘 돌보는 것은 양을 치는 일과 같습니다. 뒤처진 양을 보면 채찍질하는 것입니다."
《장자, 달생편》

중년은 복잡한 책임과 기대로 가득 찬 시기입니다. 사회적, 가정적 역할이 교차하는 이 시기에는 내면의 평화와 성장을 추구하는 것만큼이나 현실 세계의 기술과 능력을 갖추는 것이 중요합니다. 장자의 '선표' 이야기는 마음의 수양만을 중시하다 불행한 운명을 맞이한 은둔하며 수양만 하는 자의 비극적인 예로, 중년의 삶에서 내면과 외면의 균형을 찾는 교훈을 줍니다.

선표는 마음의 평화와 내면의 성장에 전념하여 인생을 살았으나, 결국은 현실 세계의 위협에 대비하지 못해 비극적인 최후를 맞이합니다. 이 이야기는 중년에게 강력한 메시지를 전달합니다. 마음의 수련과 자기 성찰은 중요하지만, 그것만으로는 현실 세계의 도전과 위험에 대처하기에 충분하지 않다는 것입니다. 중년은 경제적, 사회적, 건강 관련 문제와 같은 다양한 외부 요인에 직면하는 시기입니다. 따라서, 내면의 평화를 추구하는 것과 동시에 이러한 외부 요인들을 효과적으로 관리할 수 있는 실질적인 기술과 능력을 개발하는 것이 필수입니다.

예를 들어, 경제적 안정을 확보하기 위해서는 재정 관리, 투자, 저축 등의 실용적인 지식이 필요합니다. 사회적 관계를 유지하고 발전시키기 위해서는 의사소통 기술, 갈등 해결 능력, 네트워킹 기술 등이 중요합니다. 건강을 유지하고 증진시키기 위해서는 영양, 운동, 스트레스 관리 등에 대한 이해가 필요합니다. 이 모든 것은 내면의 성장과 평화를 추구하는 것만큼 중요한 현실 세계의 요구사항입니다.

선표의 이야기는 중년에게 마음의 수련과 내면의 평화는 인생에서 중요한 부분이지만, 그것만으로는 충분하지 않다는 것을 알려줍니다. 현실 세계의 도전과 위협에 대응하기 위해서는 마음과 실력을 고루 갖추어야 합니다. 중년에서 성공과 행복을 달성하기 위해서는 내면의 성장뿐만 아니라 외부 세계에 대한 실질적인 이해와 능력이 필요합니다.

장자(莊子) Insight

1. 내면과 외면을 조화시켜라

중년에는 내면의 평화와 성찰뿐만 아니라, 현실 세계에서 실질적인 능력과 기술도 중요하다. 마음의 수련을 통해 얻은 평온함과 지혜를 실생활의 문제 해결과 결정에 적용하여, 내면의 성장과 외부 세계의 도전 사이에서 균형을 찾아야 한다.

2. 현실 감각을 길러라

삶의 불확실성과 예기치 못한 상황에 대비하는 것은 중년에 특히 중요하다. 건강 관리, 재정 안정, 사회적 관계 등 삶의 다양한 영역에서 실질적인 준비와 대비가 필요하다. 이는 마치 잠재적 위험으로부터 자신을 보호하기 위해 양 떼를 지키는 목자의 역할과 유사하다.

3. 꾸준한 학습과 자기 계발을 하라

중년은 새로운 기술을 배우고, 자신의 역량을 확장하는 데에도 적합한 시기다. 변화하는 세계에 적응하기 위해 꾸준한 학습과 자기 계발은 필수다. 이는 개인의 경쟁력을 강화하고, 삶의 질을 향상시키며, 새로운 기회를 발견하는 데 도움이 된다.

만족을 모르면 남을 부러워한다

• • •

"만족할 줄 모르면 남을 부러워합니다. 다리가 하나밖에 없는 벌레는 발이 많은 노래기가 부러웠습니다. 노래기는 발이 없는 뱀이 부러웠습니다. 뱀은 눈에 보이지 않는 바람이 부러웠습니다. 바람은 움직이지 않는 눈이 부러웠습니다. 눈은 보지 않고도 아는 마음이 부러웠습니다." 《장자, 달생편》

인생의 여정에서 우리는 자주 만족과 불만족이 교차하는 순간들을 맞이하게 됩니다. 장자의 이 이야기는 우리의 욕망과 만족에 대한 깊은 의미를 담고 있습니다.

우리는 종종 무엇이든 부족하다는 느낌에 사로잡히곤 합니다. 다리가 하나밖에 없는 벌레는 발이 많은 노래기를 부러워했습니다. 이는 우리가 가지고 있는 것에 만족하지 않고, 항상 더 크고 더 많은 것을 원하는 욕망 때문입니다. 중년에 이르러도 여전히 미완성의 욕망이 우리를 괴롭힙니다.

노래기는 발이 없는 뱀을, 뱀은 눈에 보이지 않는 바람을, 바람은 움직이지 않는 눈을 부러워합니다. 이 연쇄는 욕망이 끝이 없고, 어떤 것을 얻어도 더 많은 것을 원하게 만든다는 것을 보여줍니다. 만족을 모르는 우리는 무한한 욕망의 연속에 빠져, 언제나 부족함을 느끼게 됩니다.

만족을 모르면 남을 부러워한다는 말은 우리가 현재 순간을 소중히 여기고 감사하는 마음을 갖지 않으면, 언제나 남을 부러워하게 된다는 경고입니다. 다리가 하나밖에 없는 벌레도 그 현재의 상태에서 행복을 찾을 수 있었을 것입니다. 중년에 이르러 우리는 욕망의 연쇄 속에서 벗어나고, 현재의 삶을 만족하며 남을 부러워하지 않는 마음을 키워야 합니다.

만족을 모르는 우리는 종종 남을 부러워하지만, 이는 우리 자신에 대한 이해가 부족한 결과일 수 있습니다. 중년은 자기를 받아들이고 이해하는 시기이기도 합니다. 다리가 하나밖에 없는 벌레는 자신의 존재에 만족하며, 발이 많은 노래기를 부러워하지 않았을 것입니다. 우리도 자기 만족과 자기 이해를 통해 남을 부러워하지 않는 마음을 키워야 합니다.

"만족을 모르면 남을 부러워한다"는 주제는 우리에게 지금의 순간을 소중히 여기고, 현재의 삶에 만족하며 살아가는 중요성을 알려줍니다. 무한한 욕망의 연쇄 속에서 벗어나고, 우리 자신을 받아들이며 남을 부러워하지 않는 마음으로 중년을 살아가는 것이, 진정한 풍요로움과 만족을 찾는 길일 것입니다. 만족을 알고, 이해하며, 소중히 여기는 마음으로 중년을 향해 나아가면, 남을 부러워하지 않는 풍요로운 삶을 찾을 수 있습니다.

장자(莊子) Insight

1. 삶에서 만족을 찾아라

중년에는 자기 삶에 만족을 찾는 것이 중요하다. 자신의 성과를 축하하고 자신의 가치를 인정하는 것이 필요하다. 자신의 장점과 성공을 인식하고 더 나은 미래를 위해 노력하는 것이 중요하다. 자신에게 충분한 자신감을 가지고 노력하는 것은 타인의 부러움을 덜어낼 수 있는 방법이다.

2. 비교에서 벗어나라

남들과 비교하지 않고 자신만의 기준을 가지고 삶을 살아가야 한다. 다른 사람들의 성공이나 소유물에 대해 부러움을 느끼는 것보다 자신의 노력과 결과에 집중하는 것이 중요하다. 자신만의 가치관을 형성하고 그에 따라 행동하는 것이 중요하다. 비교에 갇혀 있지 않고 자유롭게 자신의 길을 가는 것이 중년에 있어서 중요한 요소다.

3. 자신을 인정하고 발전을 추구하라

자기를 인정하는 것과 성장은 중년에 매우 중요하다. 자기 인정은 자신의 결함과 부족함을 받아들이고 그것을 극복하기 위해 노력하는 것을 의미한다. 누구나 완벽하지 않으며, 중년에도 계속해서 발전하고 성장해야 합니다. 자신의 한계를 인식하되 포기하지 않고 계속해서 도전해야 한다.

우물 안의 개구리는 바다를 모른다

•
•
•

"우물 안 개구리에게는 바다를 이야기할 수 없다. 한곳에 갇혀 살기 때문이다. 여름 벌레에게는 얼음을 이야기할 수 없다. 시간의 제약을 받고 살기 때문이다. 마음이 굽은 선비에게는 도(道)를 이야기할 수 없다. 한가지 가르침에 얽매여 살기 때문이다."《장자, 추수편》

우리는 종종 "우물 안 개구리"라는 비유를 듣곤 합니다. 이는 한정된 환경에서만 살아가는 사람들을 가리키는 것으로, 그들은 그들이 알고 있는 것 이외의 세계에 대해 이해하거나 경험할 수 없다는 의미를 담고 있습니다.

우선, '우물 안 개구리'는 바다를 모르기에 그가 살고 있는 우물의 한계를 넘을 수 없습니다. 이는 우리가 자주 겪는 것과 비슷합니다. 우리의 삶은 자주 일상의 속박 속에서 진행되고, 우리는 편안한 영역을 벗어나 새로운 경험을 할 용기를 잃기 쉽습니다. 그러나 우리가 성장하고 발전하기 위해서는 자신의 편안한 영역을 떠나 새로운 경험을 해보는 것이 필요합니다. 중년에는 이미 많은 경험을 쌓아왔고, 그것들이 우리를 소중한 기반이 되기는 하지만, 그것들에만 기댄 채 머무르는 것은 우리의 성장을 막는 벽이 될 수 있습니다.

그리고 시간의 제약 또한 우리의 세계를 좁히는 요인 중 하나입니다. '여름 벌레'는 얼음에 대해 이야기할 수 없습니다. 이는 우리가 자주 느끼는 것과 유사합니다. 우리의 삶은 종종 시간의 압박 속에서 진행됩니다. 가족, 직장, 사회적 의무 등의 다양한 요소들이 우리의 시간을 제약하고, 자유롭게 움직일 여유를 주지 않습니다. 그 결과, 우리는 자신의 소망과 꿈을 추구하는 시간을 확보하기 어렵습니다. 그러나 중년에게는 이러한 제약에도 불구하고 시간을 효과적으로 관리하고 새로운 도전을 수행할 수 있는 능력이 있습니다.

마지막으로 '마음이 굽은 선비'에게는 도(道)를 이야기할 수 없습니다. 이는 우리가 자주 겪는 것과도 유사합니다. 우리는 종종 편견이나 고정된 사고 패턴에 갇혀 살기도 합니다. 우리의 가르침과 믿음이 우리의 시야를 제한하고, 새로운 아이디어나 관점을 받아들이기 어렵게 만듭니다. 하지만 중년에 접어든 우리는 여전히 변화할 수 있는 능력을 가지고 있습니다. 우리는 자신의 마음을 열고 새로운 아이디어와 관점을 수용하며, 그것들을 통해 더 나은 삶을 추구할 수 있습니다.

결론적으로, 중년에 접어든 우리에게는 우물 안 개구리로부터 벗어나 새로운 경험을 쌓고 성장할 기회가 여전히 있습니다. 우리는 우리 자신의 제한을 깨고, 시간과 마음의 감옥을 떠나 새로운 바다를 탐험할 용기를 가져야 합니다. 이것이 우리가 진정으로 풍요로운 삶을 살아가는 길이며, 중년에 새로운 시작을 만들어 나가는 방법입니다.

장자(莊子) Insight

1. 새로운 경험을 추구하라

우리는 자주 일상의 속박 속에 갇혀 살아가기 쉽다. 그러나 자신의 편안한 영역을 벗어나 새로운 경험을 하는 것은 성장과 발전을 이루는 길이다. 바다를 모르는 개구리가 우물 안에서 벗어나 바다를 탐험하는 것처럼, 우리도 새로운 도전과 경험을 통해 삶을 더욱 풍요롭게 만들 수 있다.

2. 시간을 효율적으로 활용하라

가족, 직장, 사회적 의무 등 여러 가지 요소가 우리의 시간을 제약한다. 하지만 중년에 접어든 우리는 시간을 효과적으로 관리하고 새로운 도전을 수행할 수 있는 능력이 있다. 얼음을 모르는 여름 벌레처럼, 우리도 시간의 제약 속에서도 새로운 것을 배우고 성장할 수 있다.

3. 개방적인 마음가짐을 유지하라

마음이 굽은 선비처럼, 우리도 편견이나 고정된 사고 패턴에 갇혀 살아가지 않도록 주의해야 한다. 새로운 아이디어와 관점을 수용하며 자신의 생각을 넓히고, 변화와 성장을 허용하는 것이 중요하다. 이러한 개방적인 마음가짐으로 우물 안에서 벗어나 바다를 탐험하는 우물 안 개구리와 같이 새로운 가능성을 발견할 수 있다.

황금으로 내기를 하면 마음이 켕긴다

•
•
•

"질그릇을 걸고 활쏘기 내기를 한다면, 질그릇은 흔한 물건이기 때문에 잘 맞힐 수 있다. 하지만 허리띠 고리를 걸고 내기를 하면, 귀한 것이기 때문에 맞히지 못할까봐 마음이 켕긴다. 더구나 황금을 내기에 걸면, 눈이 침침해지고 손이 덜덜 떨린다.
활쏘기 기술은 똑같지만, 내기에 걸린 물건에 마음이 쏠렸기 때문이다. 밖의 물건에 마음이 기울면, 그 사람의 속은 졸렬해지게 마련이다." 《장자, 달생편》

장자의 이야기에서는 활쏘기 내기를 통해 우리의 마음이 외부 재물에 어떻게 영향을 받는지를 보여줍니다. 질그릇, 허리띠 고리, 그리고 황금을 내기에 걸었을 때 우리의 마음이 각각 어떻게 변화하는지를 설명하며, 이를 통해 우리가 마음의 평화와 만족을 찾는 데 진정한 가치가 있다는 것을 강조합니다.

우선, 질그릇을 내기에 걸었을 때는 그것이 흔한 물건이기 때문에 잘 맞힐 수 있다고 생각합니다. 이는 우리가 흔한 물건에는 큰 가치를 두지 않는다는 것을 보여줍니다. 그러나 허리띠 고리를 내기에 걸었을 때는 마음이 켕겨집니다. 허리띠 고리는 귀한 것이기 때문에 맞히지 못할까봐 두려워하게 되는데, 이는 우리가 귀한 것에는 더 많은 가치를 부여한다는 것을 보여줍니다. 마지막으로 황금을 내기에 걸면 우리는 눈이 침침해지고 손이 덜덜 떨리게 됩니다. 황금은 매우 귀하고 값진 것이기 때문에 우리는 그것에 대한 내기에 매우 긴장하게 되는 것입니다.

이러한 이야기는 우리가 무엇에 집중하느냐에 따라 우리의 마음이 변화한다는 것을 보여줍니다. 외부 재물에만 집중하는 것이 아니라 마음의 성장과 평화를 추구해야 우리의 삶이 진정한 의미를 찾을 수 있습니다. 물질과 재물은 우리에게 일시적인 만족감을 줄 수 있지만, 진정한 평화와 만족은 내면에서 찾을 수 있습니다. 따라서 우리는 판돈에 마음을 빼앗기지 말고, 마음의 성장과 평화를 추구하여야 합니다.

장자의 이야기를 통해 우리는 재물에 마음을 빼앗기지 말아야 한다는 교훈을 얻게 됩니다. 외부적인 재물에만 집중하는 것이 아니라 마음의 성장과 평화를 추구해야 삶의 진정한 의미를 찾을 수 있습니다.

물질과 재물은 우리에게 일시적인 만족감을 주지만, 진정한 평화와 만족은 내면에서 찾을 수 있습니다. 따라서 우리는 판돈에 마음을 빼앗기지 말고, 마음의 성장과 평화를 추구하여야 합니다. 이것이 우리가 진정한 행복과 만족을 얻는 길입니다.

장자(莊子) Insight

1. 내면의 조화와 만족을 추구하라

중년에는 내면의 조화와 만족을 찾는 게 중요하다. 장자의 이야기에서와 같이 외부에 마음을 쏟지 말고, 마음의 성장과 평화를 추구해야 한다. 진정한 행복과 만족은 외부적인 것들이 아닌 내면의 안정과 조화에서 찾을 수 있다.

2. 소중한 가치에 집중하라

장자의 이야기는, 허리띠 고리나 황금과 같은 귀중한 물건에 내기를 걸 때는 우리의 마음이 켕겨지고 긴장하게 된다. 중년에는 이러한 귀중한 가치에 집중하고 그것을 위해 노력하는 것이 중요하다. 가치 있는 가족과의 시간, 건강한 삶을 위한 노력, 내면적인 성장을 위한 노력 등 소중한 가치에 주의를 기울이는 것이 중요하다.

3. 외부에 의존하지 말고 마음의 힘을 믿어라

장자의 이야기는 외부에 의해 마음이 영향을 받는 것은 피할 수 없는 일이다. 그러나 중년에는 이러한 외부에 의존하지 않고 마음의 힘을 믿고, 마음에서 영감과 행복을 찾아야 한다. 자신의 내면에 깊이 관찰하고 자기 성장을 위한 노력을 게을리하지 않는 것이 중요하다.

장자의 꿈(호접몽)

•
•
•

"어느 날 장자는 꿈에서 나비가 되었다. 나비가 되어 훨훨 날아다니며 유유자적 즐거웠다. 그러다 보니 자신이 장자임을 잊고 있었다. 문득 깨어보니 장자 자신의 모습 그대로였다. 장자가 말했다. "내가 나비가 되는 꿈을 꾼 것인가? 아니면 나비가 내 꿈을 꾸고 있는 것인가? 알 수 없구나. 나 장주와 나비는 분명 다른데 말이야. 이런 게 바로 '뭔가 되고 있다'고 하는 것이로구나." 《장자, 제물론편》

중년은 종종 과거의 꿈과 현재의 현실 사이에서 막연한 욕망을 느끼곤 합니다. 장자의 이야기는 바로 이러한 욕망과 불확실성 사이에서 우리가 진정한 존재의 이해를 찾는 데 도움을 주는 깊은 교훈을 제공합니다. "나비의 꿈"은 우리가 현실과 꿈을 구별하지 말아야 한다는 것을 말합니다. 실제로, 이 둘은 더 깊은 의미에서 연결되어 있습니다.

장자가 나비로 꿈을 꾼 것일까, 아니면 나비가 장자의 꿈을 꾸는 것일까? 이 물음은 깊은 사유와 통찰의 시작입니다. 이것은 현실과 꿈의 경계를 허물고, 우리가 꿈을 꾸는 이유와 꿈에서 우리가 얻는 가치를 새롭게 이해할 수 있는 문제를 던집니다.

현실과 꿈을 하나로 보는 것은 우리의 삶을 더욱 풍요롭게 만들 수 있습니다. 우리는 장자처럼 자신의 존재와 꿈 사이의 연결을 발견할 수 있습니다. 현실에서 자유롭게 행동할 수 있고, 꿈에서는 숨겨진 욕망과 가능성을 탐험할 수 있습니다. 이 둘을 함께 고려함으로써 우리는 진정한 의미에서 완전한 존재가 됩니다.

나비는 변화와 자유를 상징합니다. 중년에는 삶의 변화와 자유로움에 대해 다시 생각하기 시작합니다. 과거의 꿈과 현재의 현실 사이에서, 종종 채워지지 않은 욕망을 느낍니다. 그러나 이를 부정하지 않고 받아들일 필요가 있습니다. 바로 이러한 욕망과 불안함이 우리가 변화와 자유를 향해 나아가는 원동력입니다.

장자의 이야기는 또한 무엇이든지 가능하다는 믿음을 강조합니다. 우리는 나비가 되어 훨훨 날아다닐 수 있을 뿐만 아니라, 우리의 꿈을 실현할 수 있다는 것입니다. 중년에 우리는 더 많은 경험과 지식을 얻었고, 이제 우리의 꿈을 이루기 위해 더 많은 자원을 가지고 있습니다. 우리는 장자처럼 우리 자신의 꿈과 욕망을 적극적으로 추구함으로써 우리의 삶에 새로운 의미를 부여할 수 있습니다.

결국, "나비의 꿈"은 우리의 삶을 바라보는 새로운 시각을 제공합니다. 현실과 꿈은 분리되어 있지 않습니다. 그들은 서로 조화롭게 연결되어 있고, 우리는 그 연결을 통해 진정한 의미와 만족을 찾을 수 있습니다. 중년에는 과거의 꿈과 현재의 현실을 받아들이고, 이를 통해 우리 자신의 꿈을 이루기 위해 나아갑니다.

장자(莊子) Insight

1. 꾸는 꿈과 추구하는 현실 사이의 조화를 이뤄라

나비 꿈은 꾸는 꿈과 추구하는 현실을 조화롭게 이어가는 것을 의미한다. 이것은 꿈을 향한 열망과 현실적인 책임 사이에서 균형을 유지하는 것으로, 삶의 목표와 꿈을 재평가하고, 그것들을 이루기 위한 현실적인 계획을 세우는 것이 중요하다. 그러나 꿈을 향한 열망을 잊지 않아야 한다.

2. 자아 실현과 내적 변화를 경험하라

중년은 자아를 실현하고 내적 변화를 경험할 수 있는 시기다. 나비의 꿈은 자아의 변화와 발전을 상징한다. 중년에는 과거의 경험을 토대로 자신의 가치관을 재평가하고, 더 나은 자아를 실현하기 위한 노력을 기울여야 한다. 내적 성장과 변화를 통해 더욱 의미 있는 삶을 찾을 수 있다.

3. 자유로움과 새로운 가능성을 탐색하라

나비가 되어 훨훨 날아다니는 것처럼, 중년에는 과거의 제약과 규칙을 벗어나 새로운 가능성을 모색할 수 있다. 이것은 자신의 열정과 관심사를 발견하고, 그것들을 추구하기 위한 용기를 갖는 것을 의미한다. 새로운 도전에 대한 열린 마음과 호기심을 가지고, 자유로운 삶을 살아가는 것이 중요하다. 이를 통해 나비처럼 변화와 자유를 경험할 수 있다.

새를 키우는 방법으로 새를 키워라

•
•
•

"옛날에 바닷새가 노나라 교외에 날아들었다. 노나라 임금이 그 새를 맞아 종묘에서 주연을 베풀고 요나라 임금의 음악인 구소를 연주하고 소고기, 돼지고기, 양고기가 모두 들어간 요리를 주었다. 그러나 바닷새는 어리둥절하고 두렵고 슬퍼했다. 그러다가 결국 고기 한 점 먹지 않고 술 한 잔 마시지 않은 채 사흘 만에 죽고 말았다. 이는 임금이 자기 사는 법으로 새를 키웠지, 새를 키우는 법으로 키우지 않았기 때문이다."《장자, 달생편》

새를 키우는 건, 단순히 새를 먹이고 기르는 것만을 의미하지 않습니다. 오히려 새를 키우는 것은 그 새의 본성과 특성을 고려하여 그들이 자유롭고 행복하게 살 수 있도록 환경을 제공하는 것을 의미합니다. 장자의 이 이야기는 그 새가 자유롭게 살 수 있는 환경이 제공되지 않았기 때문에 불행한 결말을 맞이했다는 교훈을 알려줍니다.

우리는 종종 자녀나 다른 사람들을 우리가 생각하는 대로 육성하려는 경향이 있습니다. 그러나 새를 키우는 것은 단순한 조련이나 훈련이 아니라 그들의 본성과 욕구를 이해하고 존중하는 것을 의미합니다. 중년에는 우리가 다양한 책임과 역할을 가지게 되는데, 그 중 하나가 돌봐야 할 자녀, 가족, 또는 다른 사람들이 될 수 있습니다. 이때 그들을 내가 원하는 대로 키우려 하기보다는 그들의 본성과 욕구를 이해하고 그들이 자유롭고 행복하게 성장할 수 있도록 지원해야 합니다.

새를 키우는 방법으로 새를 키우기 위해서는 우선 그 새의 본성과 특성을 이해해야 합니다. 새는 자유를 사랑하고 넓은 공간이 필요합니다. 따라서 새를 키우는 환경은 그들이 날 수 있고, 놀 수 있으며, 적절한 먹이를 찾아 먹을 수 있는 곳이어야 합니다. 마찬가지로 중년에는 가족, 자녀, 친구들의 본성과 욕구를 이해하고 그들에게 필요한 자유와 공간을 제공해야 합니다. 이는 그들을 지나치게 통제하거나 제한하지 않고, 그들의 자유를 존중하고 그들이 스스로 생각과 감정을 표현할 수 있도록 도와주는 것을 의미합니다.

또한 새를 키우는 방법으로 새를 키우기 위해서는 그들의 자유와 행복을 위한 환경을 제공하는 것뿐만 아니라, 그들의 신체적, 정서적, 정신적인 건강을 챙겨주어야 합니다. 이는 날마다 돌봄과 주의가 필요하며, 필요할 때는 전문가의 도움을 받아야 할 수도 있습니다.

결론적으로, 새를 키우는 방법으로 새를 키우는 것은 단순히 새를 먹이고 기르는 것만을 의미하는 것이 아닙니다. 오히려 그것은 새의 자유와 행복을 위한 환경을 제공하는 것을 의미합니다. 마찬가지로 중년은 가족, 자녀, 친구들을 우리가 생각하는 대로 육성하려는 것이 아니라 그들의 본성과 욕구를 이해하고 그들의 자유와 행복을 존중하며 지원해야 합니다. 이를 통해 서로 더 깊은 이해와 연결을 형성할 수 있을 뿐만 아니라 더 풍요로운 삶을 살아가게 됩니다.

장자(莊子) Insight

1. 자유롭게 살아가라

새를 키우는 방법으로는, 새가 자유롭게 날아다니며 자유롭게 먹이를 찾고 자기 무리를 따라 만족스럽게 살 수 있도록 내버려두는 것이 중요하다. 마찬가지로 중년에는 자유롭게 자신의 삶을 살아가며 주변의 기대나 규칙에 구애받지 않고 자신의 가치관과 선호도에 따라 행동하는 것이 중요하다.

2. 본성을 존중하고 발현하라

새를 키우는 방법으로는 새의 본성을 존중하고 그에 맞게 환경을 조성하는 것이 있다. 중년에도 자신의 본성을 존중하고 이를 발현할 수 있는 환경을 만들어주는 것이 중요하다. 자신이 원하는 일을 하며 자신의 감정과 욕구를 솔직하게 표현하고 그에 맞는 환경을 찾아나가는 것이 중요하다.

3. 바른 방향으로 성장하라

새를 키우는 방법으로는 자연스럽게 자기 능력과 잠재력을 발휘하며 성장한다. 중년은 자기 계발에 힘써 자기 능력을 키워나가고 새로운 도전을 통해 성장하며 발전하는 것이 중요하다. 과거의 경험을 바탕으로 더 나은 방향으로 나아가는 것을 목표로 삶을 살아가는 것이 중요하다.

쓸모 없는 게 쓸모 있다

●
●
●

“장자가 산중을 지나다 큰 나무를 봤다. 마침 나무꾼도 지나갔지만, 그 나무는 본체만체했다. 어째서 베지 않느냐고 물었더니 “쓸모가 없다”고 답했다. 장자는 말했다. “이 나무는 쓸모가 없어 천년을 마치는구나.”
산에서 내려와 어느 집에서 묵었다. 주인은 장자를 대접하겠다며 하인에게 닭을 잡게 했다. "잘 우는 놈을 잡을까요, 잘 못 우는 놈을 잡을까요?" 주인이 말했다. "잘 울지 못하는 놈을 잡아라.”《장자, 산목편》

산속의 큰 나무와 잘 울지 못하는 닭의 이야기는 우리가 삶과 자연을 어떻게 이해하고 받아들이는가에 대한 깊은 교훈을 담고 있습니다. 삶에서 우리는 종종 “쓸모 없는 것”을 무시하거나 무시할 수 있습니다. 그러나 장자는 이것을 통해 삶의 본질을 깨달았습니다. 그의 이야기는 쓸모 없어 보이는 것들이 실제로는 우리의 존재에 중요한 역할을 하는 것을 보여줍니다.

이처럼, 삶에서 "쓸모 없는" 것들을 발견할 때마다 그것이 나에게 어떤 의미를 지니는지 깊이 생각할 필요가 있습니다. 종종 우리는 무의식적으로 가치를 평가하고 판단합니다. 하지만 가치는 종종 시간이 지나면서 변화하고, 새로운 시각에서 바라볼 때 새롭게 발견되기도 합니다.

우리는 때로는 쓸모가 없다고 여겨지는 것들이 큰 영감을 줄 수 있다는 것을 깨닫게 됩니다. 예를 들어, 예술 작품이나 문학 작품은 종종 쓸모 없어 보일 수 있지만, 그 안에는 인간의 삶과 감정을 깊이 이해하고 공감하는 힘이 담겨 있습니다. 또한 우리가 경험하는 모든 감정도 삶의 쓸모 없는 부분 중 하나로 볼 수 있습니다. 슬픔, 분노, 고독 등의 감정은 때로는 부정적으로 여겨지지만, 이러한 감정들이 우리에게 무엇을 알려주려고 하는지를 깊이 이해한다면, 우리는 더욱 성숙한 삶을 살아가게 됩니다.

우리가 쓸모 없다고 여기는 것이 종종 우리의 성장과 깨달음을 위한 보물상자일 수 있습니다. 그것들을 무시하지 않고 받아들인다면, 우리는 더 풍요로운 삶을 살 게 됩니다. 이러한 깨달음은 우리가 자신과 주변의 세계를 더 깊이 이해하고 받아들이도록 도와줍니다. 삶의 미학을 발견하는 것은 보다 풍요로운 삶을 살아가는 데에 큰 영감을 줍니다.

결론적으로, 장자의 이야기는 삶의 아름다움을 발견하는 중요성을 알려줍니다. 가끔은 쓸모 없는 것이 큰 가치를 제공하는 것을 알아차리는 것이 중요합니다. 우리가 삶의 미학을 발견하기 위해서는 보다 열린 마음으로 세상을 바라보고, 주변에 숨겨진 아름다움을 찾아내는 것이 필요합니다.

장자(莊子) Insight

1. 자기 인식으로 목표를 설정하라

중년은 가치와 잠재력을 올바르게 인식하고, 의미 있는 목표를 설정해야 한다. 다른 사람의 평가나 사회적 기준에 따라 자신을 평가하지 말고, 자기 능력과 관심사를 바탕으로 목표를 추구해야 한다. 이를 통해 쓸모 없어 보이는 것을 자신만의 가치와 의미를 발견할 수 있다.

2. 유연성과 적응력을 길러라

중년은 변화와 도전에 대한 유연성과 적응력을 갖춰야 한다. 삶의 여러 상황에서 쓸모 없어 보이는 것들도 새로운 방식으로 활용하거나 그것을 기회로 삼을 수 있는 능력이 필요하다. 변화에 적극적으로 대처하고 새로운 가능성을 탐색하는 자세가 중요하다.

3. 지속적으로 성장과 배워라

중년은 삶의 여러 영역에서 지속적인 성장과 발전을 추구해야 한다. 쓸모 없다고 여겨지는 것들에 대해 포기하지 않고, 오히려 그것들을 통해 새로운 지식과 경험을 얻어내는 것이 중요하다. 새로운 기술이나 관심 분야를 습득하고, 자기 계발에 노력하여 삶의 다음 단계에서 더 나은 모습으로 나아갈 수 있다.

익숙함에 갇히면 망한다

•
•
•

"익숙한 곳에 갇힌 자는 돼지에 붙어사는 '이'와 같습니다. 이는 돼지털의 부드러운 부분을 찾아갑니다. 그곳이 이의 넓은 궁전이요 정원이 됩니다. 돼지의 발가락 안쪽이나 젖 사이, 사타구니가 이의 편안한 거실이요 이로운 거처가 됩니다. 이는 어느 날 백정이 소매를 걷어붙이고 마른 풀을 깔고 불을 지피면 자기도 돼지와 함께 구이가 된다는 것을 모릅니다. 자기가 살던 곳에 갇혀 거기서 살기도 하고 거기서 죽기도 하는 것입니다.《장자, 서무귀》

중년은 나이의 단순한 계산으로 정의되지 않습니다. 그것은 오히려 삶이 본격적으로 정착하고, 지난 시간을 돌아보며 현재의 위치와 방향을 다시 살피는 시기입니다. 중년에 이르러서는 많은 이들이 안정과 안락을 추구하고, 익숙한 영역에서 더 오래 머무르고 싶어 합니다. 그러나 이러한 안락함이 곧 무력감과 나태로 이어질 수도 있음을 알아야 합니다.

"익숙한 곳에 갇힌 자는 돼지에 붙어사는 '이'와 같습니다." 장자의 이 말은 곧 우리가 익숙한 환경이나 상황에 갇혀 자기 발전의 기회를 놓치고 있다는 의미입니다. 중년에는 과거의 경험에 익숙해지고, 그 안에서 안정을 찾으려는 경향이 있습니다. 그러나 이러한 안락함이 우리를 성장과 발전에서 막기도 합니다. '이'가 돼지에게서 익숙한 환경에서 더 많은 안락함을 느끼지만, 결국은 그 안에서 허송 세월을 보내고 마침내는 그 곳에서 사라지게 됩니다.

중년의 문제는 새로운 도전을 포기하고 과거의 안락한 지점에 머물고 싶어하는 욕구입니다. 그러나 이런 욕구는 결국 더 큰 위험에 빠뜨릴 수 있습니다. 익숙한 곳에 갇혀 있다면,새로운 경험과 도전에서 멀어지게 됩니다. 자신의 가능성을 펼치고, 새로운 것을 배우고, 성장할 기회를 놓치게 됩니다.

중년은 성장과 발전을 위한 새로운 도전을 포기하고 과거의 안락한 지점에 머물고 싶어하는 욕구가 있습니다. 그러나 이러한 욕구는 결국 우리를 더 큰 위험에 빠뜨릴 수 있습니다. 우리가 익숙한 곳에 갇혀있다면, 우리는 새로운 경험과 도전에서 멀어지게 됩니다. 우리는 우리의 가능성을 펼치고, 새로운 것을 배우고, 성장할 기회를 놓치게 됩니다. 그러나 안락함과 안정을 버리고 새로운 도전에 나서는 것은 어려운 결정입니다. 그것은 편안한 영역을 벗어나서 불확실성과 불편함에 직면해야 한다는 것을 의미합니다.

그럼에도 이런 도전을 통해 우리는 새로운 것을 경험하고, 우리 자신의 잠재력을 실현할 기회를 갖게 됩니다.

결론적으로, 중년에는 안락한 지점에 머무르는 유혹을 이겨내고 새로운 도전에 나서야 합니다. 우리가 익숙한 곳에 갇혀있다면, 결국 삶의 의미와 목적을 잃게 됩니다. 자신의 가능성을 믿고, 새로운 것을 시도하며, 계속해서 성장하고 발전하는 것이 중요합니다. 그리고 그 과정에서 우리는 진정한 만족과 성취감을 찾게 됩니다.

장자(莊子) Insight

1. 새로운 도전과 경험을 통해 자기 성장을 도모해야 한다

중년에는 안락한 영역에 머물러 있기보다는 새로운 도전과 경험을 통해 자기 성장을 도모해야 한다. 익숙한 곳에 갇힌 채로 머물면 삶이 지루해지고 자아가 소멸될 수 있지만, 새로운 환경과 경험을 통해 자신의 잠재력을 발휘하고 발전할 수 있다. 이를 통해 중년은 자기 성장의 시기로 살아가게 된다.

2. 호기심과 탐구 정신을 유지해야 한다

중년에도 호기심과 탐구 정신을 잃지 말아야 한다. 새로운 지식을 습득하고 새로운 분야에 도전함으로써 익숙한 곳에 갇힌 상태를 벗어나고 자아를 발전시킬 수 있다. 삶의 여러 영역에서 관심을 가지고 배우고 성장하는 것이 중년의 삶을 더욱 풍요롭게 만들어 준다.

3. 변화와 불확실성에 대한 대처능력을 키워야 한다

중년에는 삶의 다양한 변화와 불확실성에 직면하는 시기다. 익숙한 곳에 갇힌 채로 머무르는 것은 변화와 불확실성을 피하는 것과 같다. 이러한 변화와 불확실성을 수용하고 대처할 수 있는 능력을 키워야 한다. 유연성을 발휘하고 적응력을 키움으로써 삶의 변화에 대처하고 새로운 가능성을 창출할 수 있다.

어려움에도 마음이 살아 있으면

•
•
•

"어떤 어려움이 닥쳐도 마음이 살아 있다면, 마음이 살아 있으면 어떤 어려움이 닥쳐도 본래 모습을 잃지 않는다. 추위와 눈서리를 겪어야만 소나무와 잣나무가 무성해짐을 알기 때문이다." 《장자, 양왕편》

중년은 삶의 여러 어려움에 부딪히게 됩니다. 가족 문제, 건강 문제, 경제적 어려움 등 다양한 문제들이 우리를 시험하고 힘들게 만들 수 있습니다. 그러나 장자의 말처럼, 어떤 어려움이 닥쳐도 마음이 살아 있다면, 본래의 모습을 잃지 않고 지혜롭게 대처할 수 있습니다.

마음이 살아 있다면, 우리는 모든 것을 긍정적으로 바라볼 수 있습니다. 어려움이 닥쳤을 때도 포기하지 않고 희망을 잃지 않는 것은 중요합니다. 마음의 힘이 있으면, 어떤 상황에서도 우리는 스스로 이끌어갈 수 있습니다. 예를 들어, 가족 문제가 있을 때 우리는 희망을 잃지 않고 가족 간의 소통과 이해를 도모할 수 있습니다. 또한 건강 문제에 직면했을 때도 자신의 몸과 마음을 돌보며 긍정적인 생각을 가질 수 있습니다.

추위와 눈서리를 겪어야만 소나무와 잣나무가 무성해짐을 알기 때문에, 우리도 어려움을 통해 더욱 강해지고 성장할 수 있습니다. 어려움을 극복하는 과정에서 우리는 마음의 힘을 발견하고 발전시킵니다. 그리고 이러한 과정을 통해 우리는 더욱 성숙해지고 지혜롭게 삶을 살아갑니다. 어려움은 우리의 성장을 위한 기회로 받아들여져야 합니다.

이를 위해서는 우리는 마음이 살아 있어야 합니다. 마음이 살아 있으면 우리는 감정의 폭풍 속에서도 마음의 안정을 유지할 수 있습니다. 이는 우리가 이해하고 받아들이기 어려운 상황에서도 자기조절이 가능하다는 것을 의미합니다. 어려움에 처했을 때 우리는 자신의 마음을 치유하고 강화하기 위해 노력해야 합니다. 이를 통해 삶의 고난과 시련을 이겨내며, 본래의 모습을 유지합니다.

결국, 어떤 어려움이 닥쳐도 마음이 살아 있다면 우리는 그 어려움을 이겨냅니다. 우리는 마음의 힘을 발견하고 성장하는 기회로 어려움을 받아들여야 합니다. 마음이 살아 있는 한, 우리는 어떤 어려움이 닥쳐도 본래의 모습을 잃지 않고 삶을 꿈꿀 수 있습니다.

장자(莊子) Insight

1. 내적 강인함과 긍정적인 마음을 가져라

중년에는 다양한 어려움에 부딪히게 될 수 있다. 가족 문제, 직장에서의 압박, 건강 문제 등 다양한 어려움들이 우리를 시험할 수 있다. 그러나 강인한 마음을 가지고 긍정적인 마음을 유지하는 것이 중요하다. 마음이 살아 있다면 우리는 어려움을 극복하고 자신의 본래 모습을 잃지 않는다.

2. 유연하게 대처하고 적응력을 발휘하라

삶은 예측 불허의 상황으로 가득하다. 우리는 어떤 어려움이든 마주하고 적응할 수 있는 유연성을 갖추어야 한다. 마음이 살아 있다면 우리는 어려움에 유연하게 대처하고 새로운 상황에 빠르게 적응할 수 있다. 이는 우리가 어려운 시기를 더욱 원활하게 극복하고 삶의 흐름을 유지하는 데 도움이 된다.

셋째, 내면을 성장하고 강화하라

어려움을 통해 우리는 성장한다. 마음이 살아 있다면 어려운 상황을 이겨내며 더욱 강해질 수 있습니다. 추위와 눈서리를 겪어야만 소나무와 잣나무가 무성해지듯이, 우리도 어려움을 극복하고 성장함으로써 더욱 강인한 삶을 살아갈 수 있다. 이를 통해 우리는 삶의 고난과 시련을 이겨내며 더욱 성숙해지고 지혜롭게 살아갈 수 있다.